T3-BSC-163

說故事的行銷力量

Wonderful marketing in simple stories

歐陽風◎編著

在生活中創造新的行銷奇蹟

行銷就是與顧客建立有價值的穩定關係，營造顧客滿意的氣氛並從中獲利。行銷所面臨的問題是：如何賣出產品；如何賣出更多的產品；如何在激烈的競爭中賣出更多的產品。

對企業或個人而言，如何運用優秀的行銷策略，使自己的企業和產品在市場中獲得競爭優勢，是生存與發展的關鍵。許多行銷者為此處心積慮，希望找到最佳的行銷策略，但往往成效不彰。

那麼，到底有沒有最完美的行銷捷徑、最絕妙的行銷方法、最實用的行銷策略呢？

答案是：有！

在哪裡？

就在不被人們重視的細微之處！

通常，最深刻的道理往往蘊藏在最簡單的故事中，行銷也不例外：在一些小故事中，往往蘊涵著絕妙的行銷道理。

把梳子賣給和尚，告訴我們應該從多元角度看問題，而不應拘泥於俗套；把斧頭賣給總統，告訴我們要有信心，而不應失掉寶貴的自信；把鞋賣給不穿鞋的人，告訴我們要有發現新市場的眼光，而不應一味抱怨市場難以開拓……。

本書精選了古今中外最經典的行銷故事，並加上現代行銷的精闢見解，使讀者在欣賞故事的過程中體會到卓越的行銷智慧和解讀行銷的密碼。這些精彩的故事，歷經百年，許多行銷大師都曾從中獲益匪淺，並在生活的實踐中創造新的行銷奇蹟。

讀完本書，請大家靜下心來，慢慢體會，定能有所收穫和啟發，進而不斷提升自己的行銷能力，開創更大的成功。

Chapter 1 個人品質決定銷售業績

做個不一樣的業務員，才是贏得業績、留住客戶的不二法門。但如何做個不一樣的業務員？除了保有自己獨特的氣質之外，更要修養自我的品格，做到不違背良心，讓客戶信賴你、尊重你，甚至和客戶變成一輩子的朋友，這樣客戶不只是朋友，更會成為你的下游推銷員！

Know-how 行銷 Up Grade

Chapter 2 與客戶輕鬆有效地溝通

「會說話的人，同時也是會聆聽的人」這是千古不變的定律，在銷售活動中，讓客戶發言，可以從說話中窺探出客戶的想法和關心的事情；如果只是自己一味地滔滔不絕，完全沒有讓對方表達意見的話，對方會愈聽愈煩，最終會說「謝謝！再聯絡！」下次你就根本沒有機會能再跟他說得上話。

行銷 Know-how Up Grade

Chapter 3

應用最佳的推銷技巧

不論你是銷售產品給消費者或其他公司，不管是網路投資企業，或是舊經濟的巨擘，無論是販賣產品或是服務，甚至是兩者兼賣，只要能將新行銷絕招應用到你的事業上，幾個月或者幾年內就能為你帶來可觀的報酬。對大多數的行銷人員而言，如果能夠精準地預測每一個準客戶及其往後會購買的商品，就能針對不同的客戶採取不同的銷售手法。善用推銷技巧具有畫龍點睛的功效，但絕不能違背良心，如此不僅能成為公司的超級業務員，更能為自己省下不少的銷售成本。

Know-how
行銷 Up Grade

Chapter 4

激起消費者的需求

不論從事什麼行業，經營什麼生意，你一生成敗的大都依賴本身的行銷能力，給人們留下深刻印象的總是能獲得勝利。要做到這一點，就需要你動用小智慧，而最簡單最直接的辦法就是——廣告。

廣告宣傳對於生意到底有多大的影響？聽聽一位美國記者的見解：「如果給我足夠的經費，我就能將一塊磚頭以金條的價錢售出。」誇張歸誇張，但廣告的力量卻可見一斑，廣告有可能讓你的生意起死回生。

行銷 Know-how Up Grade

Chapter 5

用心經營來吸納客戶

如果現在的你還年輕，在商場上打滾的時間仍不夠長，那麼你就更需要建立穩固而廣泛的人際關係網。也許你沒有好的家世，但無須為此灰心，要有好人緣，編織屬於自己的關係網並不難，你可以經常主動聯繫朋友、創造機會認識想結交的人、不輕易得罪別人、提升人緣層次、結交優秀的人……。一旦你的關係網建立了，就會發現這是一張不同尋常的網。

Know-how
行銷 Up Grade

Chapter 6 永遠以客戶爲焦點

顧客心理學是一門高深的學問，顧客滿意學更加值得深入探討，而要如何掌握，使之為你的產品瘋狂，那就要看你有沒有用心去對待顧客。行銷可愛之處在於，有幸與許多人接觸。即使這次談不成的生意，不代表日後永遠絕望，得體的應對必能留下好的印象，為下次的洽談鋪路。既成的客戶更該真心經營，客戶不只是客戶，更可以是朋友。更重要的是，他們會樂意且積極地為好朋友提供銷售機會的，藉由他們的引見，可以為你擴大客源，是最實在、最不費力且最有勝算的銷售方式。

行銷 Know-how Up Grade

個人品質決定銷售業績

做個不一樣的業務員，才是贏得業績、留住客戶的不二法門。但如何做個不一樣的業務員？除了保有自己獨特的氣質之外，更要修養自我的品格，做到不違背良心，讓客戶信賴你、尊重你，甚至和客戶變成一輩子的朋友，這樣客戶不只是朋友，更會成為你的下游推銷員！

1.別小看外表的加分作用

班．費德文是美國保險界的傳奇人物，被譽為「世界上最有創意的推銷員」。但他剛進入保險業時，穿著打扮非常不得體，業績其差，公司方面正有意要辭退他。

費德文因此非常著急，就向公司裡的一位成功推銷員討教。那位推銷高手對他說：「這是因為你的頭髮理得根本不像推銷員，衣服的搭配也極不協調，看上去非常土氣！你一定要記住，要有好的業績，先要把自己打扮成一位優秀推銷員的樣子。」

「你知道我根本沒錢打扮！」費德文沮喪地說。

「但你要清楚，外表是會幫你加分、幫你賺錢的。我建議你去找一位專營男裝的老闆，他會告訴你如何打扮才適宜。你這麼做，既省時又省錢，何樂而不為？這樣更容易贏得別人的信任，賺錢也就更得心應手了。」那位推銷高手誠摯地說。

費德文於是馬上去了理髮店，要求髮型設計師幫他設計一個乾淨整齊的髮型，然後又去了同事所說的男裝店，請服裝設計師幫他設計一下造型。服裝設計師非常認真地教費德文打領帶，又幫他挑西服，以及選擇與之相配的襯衫、襪子、領帶等等。他每挑一樣，就解說為何挑選這種顏色、款式的原因，還特別送給費德文一本如何穿著打扮的書。

從此，費德文像變了一個人似的，他的穿著打扮有了專業推銷員的樣子，使得他在推銷保險時更具自信，而他的業績也因此增加了兩倍。

行銷基本功

人與人相處，有時給人的第一印象往往有著決定性的作用。同樣地，在推銷過程中，給客戶的第一印象也有著重要的影響力。各行各業的推銷人員，其衣著打扮、一言一行，乃至於一舉一動，在在都會影響到日後與客戶之間的互動和行銷的成功與否。因此，合宜的裝扮與言之有物的談吐，所營造出來的，就是屬於你自己的氣質，也就是給人的第一印象，不可不慎。在此需注意的是，所謂的「注重外表」，不是盲目追求流行，唯有找到適合自己的裝扮，才能有效地為自己加分。否則，恐有東施效顰之嫌，甚至讓人看了大打折扣而不自知，既然失了面子（外表），也就用不著再講裡子（推銷內容）。

2.用心去敲門

大陸某校電機系畢業的小馬，到深圳後，就興沖沖地帶著履歷去參加求職徵才博覽會。整個會場人潮眾多，只有沃爾瑪公司的攤位前冷冷清清，與會場的氣氛形成了鮮明的對比。

小馬感到非常好奇，於是走過去瞧瞧，看到沃爾瑪徵人啟事上的內容，著實嚇了一大跳。

對方要誠徵二十名業務代表，指定要名校畢業，而且還要有三年以上從事零售業的工作經驗。條件這麼苛刻，難怪沒人敢貿然應徵。

小馬暗自打量自己一番，雖然沒有一條件符合，但是沃爾瑪業務代表的工作對他卻很具吸引力。他索性心一橫，決定試它一試，心想，若不成功就當作一次練習的機會。

小馬走到應徵席前坐下，那位中年主管看了他一眼，面無表情地指了指徵人啟事：「看過了嗎？」

他點點頭說：「看過了，不過很遺憾，我既非名校畢業，也未從事過零售工作，只有大學畢業，還是電機系。」

那位主管看了他好半天，才說：「那你怎麼還敢來此應徵？」小馬微笑著說：「我敢來應徵，是因為我喜歡這份工作，而且相信自己有能力勝任這份工作。」接著又說：「如果求職者真要具備以上所有條件，那他肯定不會是來應徵業務代表，至少是要應徵業務主管。」

說完，小馬就把自己的履歷遞過去，那位主管也沒有拒絕，微笑著收下了。

出乎意料的是，第二天小馬就接到了錄取通知書。後來他才知道，那些苛刻的徵人條件只不過是公司故意設置的門檻。當他和主管談完話後，就已經通過了公司的兩項測試：「勇於挑戰成規的信心和勇氣」以及「分析問題的能力」。

小馬進了公司之後，憑著自己認真學習及努力上進的心，還有他最重要的特質——勇於挑戰的精神，不到三個月，他就成了公司銷售業績第一的業務員，並且獲得了主管的肯定與同事們的敬佩。

行銷基本功

身為一名業務代表，幾乎每天的工作內容，都要與形形色色的商家打交道。如果在徵才博覽會上，小馬沒有信心去敲沃爾瑪公司的門，又豈能有勇氣去敲一個個商家的大門？有時候，阻礙我們向前行的，既不是實力的欠缺，也不是那些所謂的條件規定，而是我們自己的信心。當我們對自己有信心時，任何規定就不是規定，任何限制也就不再是限制，這是因為你積極向上的心，是無法被桎梏的。在此要注意的是，信心可不等於自大、自傲，勇氣也不等於狂妄。面對形形色色的客戶，你只需大膽將自己的優點突顯出來，而不足之處，則可以高度的熱忱與認真來補足，相信，條條大路皆可通羅馬，沒有談不成的生意。

3.想盡辦法讓客戶看見你

霍普金斯在做房地產銷售工作時，每付一次帳單都會附上一張自己的名片。他無時無刻都在做著「推銷自己」的工作。有一天，一位女士打電話給他：「先生，你不認識我，但我丈夫和我想換一間大一點的房子，我們想跟你談談這件事。」

「您怎麼知道我從事房地產銷售工作呢？」

「我是在處理你付給瓦斯公司的費用時發現的。」

她接著說：「在我的辦公桌上，大概有兩打你的名片。起初，我並沒留意。但是，我每次接到你的繳費單時，都可以看到你的名片，我想，不管你的用意是什麼，你都是個用心的人，所以找你應該沒問題。」

霍普金斯和這對夫妻經過幾次的討論與實際看屋後，終於買下了一間讓夫妻倆都滿意的房子，霍普金斯也從中賺取了一筆可觀的佣金。

行銷基本功

推銷商品，其實在某種程度上，是在推銷自己。如果能讓更多的客戶都知道你，那麼，就不用擔心你的商品會推銷不出去！因為，人脈就是錢脈。然而，要如何創造自己的形象？又該如何宣傳自己呢？首先，我們要對自己的工作充滿熱情，全心全意地去做，絕不放過任何一個推銷自己的機會，甚至還要設法創造宣傳自己的機會，讓自己隨時都出現在客戶的生活之中，這才是最高明的行銷手法。推銷當然貴在直接地面對客戶，但也莫輕忽間接推銷的作用。要知道，任何人都可以是客戶，平日不經意地遞送自己的名片，無形中，你的知名度打開，間接地，你也就為自己取得了商機。

4.讓客戶信任你

有個推銷員，欲前往農場向農場主人推銷公司的收割機。到達農場後，他才知道，前面已經有十幾個推銷員向農場主人推銷過收割機，但農場主人都沒有買。

這名推銷員來到農場時，無意中看到花園裡有一株雜草，便彎腰下去想把那株雜草拔除。而這個小小的動作恰巧被農場主人看見了。

推銷員見到農場主人後，正準備介紹公司的產品時，農場主人卻阻止他說：「不用介紹了，你的收割機我買了。」

推銷員大感詫異地問：「先生，為什麼您看都沒看就決定購買了呢？」

農場主人答：「第一，你的行為已經告訴我，你是一個誠實、有責任感、心態良好的人，因此值得信賴。第二，我目前也確實需要一臺收割機。」

「心態決定一切！」成功有時就是這麼簡單。

今天我們是用什麼態度面對自己的工作，別人就會看到什麼樣的你。成功其實真的不難，取決於你的心態罷了。

行銷基本功

客戶對於商品的印象完全來自行銷人員的談吐和解說，對行銷人員的第一印象，也會轉變成對商品的印象，因此，每個行銷人員都要好好掌握與客戶的任何互動，以及注意本身的言行。而誠實、有責任感、心態良好，這些都是一個優秀行銷人員的必備素質。上述例子中，推銷員的一個小小動作——拔除雜草，換來的卻是成功的交易。相較於其他的推銷員，他多的是一顆體貼善意的心，而這份心意充分讓客戶感受到了，讓他贏得了業績。所以說，心態決定一切。

5.推銷的根本是在推銷自己

日本企業家小池先生出身貧寒，二十歲時在一家機械公司擔任業務員。有一段時間，他推銷機械非常順利，半個月內就達成了二十五位客戶的業績。

可是有一天，他突然發現自己所賣的這種機械，要比別家公司生產的同性能機械貴了一些。

他想：「如果讓客戶知道了，一定會以為我在欺騙他們，甚至可能會對我的信譽產生懷疑。」

深感不安的小池立即帶著合約書和訂單，逐家拜訪客戶，如實地向客戶說明情況，並請客戶重新考慮是否還要繼續與自己合作。

這樣的動作，使他的客戶大受感動，不但沒有人取消訂單，反而為他帶來了良好的商業信譽，大家都認為他是一個值得信賴且誠實的推銷員。結果，二十五位客戶中不但無人解約，反而又替小池介紹了更多的新客戶。

行銷基本功

推銷的根本是在推銷自己。成功的人總是有著非凡的個人魅力。如果客戶對你的產品有一種可以信賴的、放心的感覺，那成功就在眼前了。廣告、宣傳、售後服務，這些都是機會，都是博得客戶信賴的一種途徑，但所有的基礎都源自於推銷員內心的誠實與積極態度。站在客戶的立場，設身處地為對方著想，凡事以誠信為最高原則，那麼，你的良好信譽，除了讓你留住既有客戶之外，還會擁有更多的客源。

6.熱誠但不卑微

保險業務員淑麗今天的行程是造訪某家知名的電子企業，對這樣的企業她心裡有些敬畏，不敢貿然進去。她猶豫了很久之後，決定還是進去試它一試，但是進去後，她發現經理室裡只有一位人事經理。

「請問妳找誰？」這位經理的聲音很冷漠。

「是這樣的，我是保險公司的業務員，這是我的名片。」淑麗雙手遞上名片，心裡有些緊張。

「推銷保險？今天已經是第三個了，謝謝妳，或許我會考慮，但現在我很忙。」

淑麗本來就沒有指望今天能賣出保險，所以毫不猶豫地說聲對不起就離開了。但如果不是她走到門口處，下意識地回頭看一下，或許不會有任何事情發生。

淑麗回頭時，忽然看見自己的名片被那個「經理」撕掉，扔進了垃圾筒裡。淑麗為此感到非常生氣，於是她轉身回去，對那位經理說：「先生，對不起，如果您不考慮買保險的話，請問我可不可以要回我的名片？」

經理聳聳肩問道：「為什麼？」

「沒有特別的原因，上面印有我的名字和公司名稱，我想要回來。」

「對不起，小姐，妳的名片我不小心沾到墨水了，還給妳的話，妳也不能用了。」

「如果真的沾到墨水，也請您還給我好嗎？」淑麗看了一眼垃圾筒。

沉默片刻，經理說：「好，這樣吧！請問你們印一張名片的費用是多少？」

「五元。」

「好！好！」他打開抽屜，在裡面找了一下，然後拿出一個十元的硬幣說：「小姐，不好意思，我沒有五元零錢，這算是我賠償妳名片的費用。」

淑麗很想奪過那十元硬幣，然後丟在地上，可是她忍住了。

她禮貌地接過十元，然後從名片盒裡再抽出一張名片給這位經理：「先生，對不起，我也沒有五元的零錢，這張名片算是我找給您的錢，請您看清楚我的名字和我公司的名稱。這不是一個適合扔進垃圾筒的公司，也不是一個應該扔進垃圾筒的名字。」

說完，淑麗頭也不回地轉身走了。

沒想到第二天，淑麗竟然接到這名經理的電話，約她在他的公司碰面。

淑麗幾乎是理直氣壯地去了，打算再次和他理論一番，但對方告訴淑麗的卻是，公司決定為全體員工投保，並打算向淑麗購買保險。

行銷基本功

面對客戶，有時必須表現出自己強硬的一面，因為你可能會遇到態度不佳或傲慢的客戶。遇到不尊重自己的客戶時，應適時表現自己的專業與堅定的態度，對方自然會有所收斂，最終或許還能收到出乎意料的效果。雖有所謂的「顧客至上」，但若真遇上態度惡劣的客戶時，還是要適時捍衛自己及所屬公司的尊嚴。因為你的看重自我和公司，說不定還會讓對方刮目相看，意外地成就另一份訂單。

7.堅信自己辦得到

一天，李耀前去某家公司應徵業務員。一大早，他就來到了他想應徵公司，不料，推門進去後，卻只看到三個男人正蹺著二郎腿，斜躺在沙發上吞雲吐霧地閒聊。

「請問這是××公司的徵人辦公室嗎？」李耀很有禮貌地問。

「你搞錯了，這不是××公司的徵人辦公室。」一男子側著身回答。

李耀一愣，回頭看看地址，又走了進來：「對不起，徵人啟事上面寫的應該是這裡沒錯。」

「哦，現在還沒到面試的時間呢！」另一男子答道。

「那我可以坐在這裡跟你們一起聊天嗎？」李耀問道。

「別等了，應徵的人已經額滿了。」又一男子說。

「可是徵人啟事上的截止日期是明天，請務必聽聽我的自我介紹。是否可以給我一個機會？」李耀堅持用簡短的話把自己的情況及工作理想說完。

「好！」那三位男子相視一笑。

李耀就這樣透過三句話就被錄取了，而在他之前，卻有數十名應徵者被三句話打發走了。

原來，這三個人講的三句話，考的就是業務員應該具備的判斷力、自信力、融洽性和鍥而不捨的推銷精神啊！只有通過這項測驗的人，才有勝任此項職務的能力。

行銷基本功

堅持原則，堅持追問的勇氣，否則，將會失去一切良機。為人處世如此，在推銷過程中也應保持這種鍥而不捨的方式。唯有如此，才能在行銷中勇往直前，取得事業和人生一個又一個的勝利。面對客戶時，任何來自客戶的需求乃至於責難，都應堅信自己，不畏挑戰，適時展現自己的臨場反應與處理態度。不要在第一時間便打了退堂鼓，非但未能爭取到任何可能的機會，同時也會讓自己愈挫愈不勇，失去了應有的、最基本的「勇氣」。

8.不輕易放棄每一次的交易

日本知名的保險推銷員齊藤竹之助，某次向一家企業推銷企業保險，持續拜訪了好幾次都無功而返。齊藤竹之助無奈，只得把目標集中在一個人身上，那就是該公司的財務課長。

誰知，財務課長根本不肯與他會面，他去了好幾次，對方都以沒時間為由，始終沒有露面。但是，齊藤竹之助並未放棄，一邊持續電話約訪，一邊持續登門造訪。

一個多月後，對方終於動了惻隱之心，同意見他。

齊藤竹之助於是向這位課長展示了詳細的保險方案。誰知財務課長剛聽了一半就說：「這種方案，不行！」

齊藤竹之助十分無奈，又不得不對方案進行反覆推敲、認真修改。第二天上午又去拜見財務課長，沒料到，對方再次以冰冷的語調說：「這樣的方案，無論你重新修訂多少次都沒有用，因為本公司根本就沒有足以支付這筆保險的預算。」然而齊藤並未因此懷憂喪志，反而下定決心，一定要拿下這張保單。

從此，齊藤竹之助開始了長期、艱苦的推銷訪問，前後大約跑了三百次，整整持續了三年。

齊藤竹之助從自己家裡到這家企業，來回一趟需花費三個小時，一天又一天，他抱著厚厚的資料，懷著「今天肯定會成功」的信念，不停地來回奔走。

三年後，皇天不負有心人，他終於成功簽下了這家公司的保單。

行銷基本功

齊藤竹之助推銷保險，不僅是一個方法的問題，更是毅力的考驗。其實，每個成功的推銷大師都是從艱難之中熬過來的，而支撐他們信念的就是：「今天我一定會把這個訂單拿下來。」所以，當我們進行推銷時，也要具有這種毅力和決心，勇敢挑戰所遇到的困難。成功的推銷員會一次又一次地自我省視與調整，除了充分展現自己的專業能力外，同時也不斷讓客戶看到自己的毅力和決心。有此堅毅的決心，客戶更放心，訂單自然也就不會少。

9.可貴的勇氣

傑夫·荷伊芳開始做生意不久，就聽說百事可樂的總裁卡爾·威勒歐普將到科羅拉多大學演講。傑夫找到為卡爾先生安排行程的人士，希望對方能安排個時間讓他與百事可樂的總裁會面。可是那個人告訴傑夫，總裁的行程安排得很緊湊，頂多只能在演講後的十五分鐘與傑夫碰面。

於是，在卡爾先生演講的那天早晨，傑夫就到科羅拉多大學的禮堂外苦等，守候這位百事可樂的總裁。

卡爾先生演講的聲音不斷地從裡面傳來，不知過了多久，傑夫猛然驚覺，預定的時間已經到了，但是他的演講還沒有結束，已經多講了五分鐘。也就是說，自己和卡爾會面的時間只剩下十分鐘了。他必須當機立斷，做個決定。

於是，他拿出自己的名片，在背面寫下幾句話，提醒卡爾先生後面還有個約會：「您下午兩點半和傑夫．荷伊芳有約。」然後他做了一個深呼吸，推開禮堂的大門，直接從中間的走道向卡爾走去。

卡爾本來還在演講，見他走近，便停了下來。這時，傑夫把名片遞給他，隨即轉身循原路走回來，還沒走到門邊，就聽到卡爾告訴臺下的聽眾，說他約會遲到了，謝謝大家今天來聽他演講，祝大家好運。說完，他就走到外面與傑夫碰面。

此時，傑夫坐在那裡，全身神經緊繃，呼吸幾乎快要停止了。卡爾看看名片，接著對他說：「讓我猜猜看，你就是傑夫，對吧！」於是，他們就在學校裡找了一個地方，自在地暢談了一番。

結果他們整整談了三十分鐘之久。卡爾不但花費寶貴的時間告訴他許多精彩動人的故事，而且還邀傑夫到紐約去拜訪他和他的工作夥伴。不過，他賜給傑夫最珍貴的東西，則是鼓勵他繼續發揮先前那種大無畏的勇氣。卡爾說：「不論在商場或任何領域，最重要的就是『勇氣』。當你希望達成某件事時，就應具備採取行動的勇氣，否則最後終將一事無成。」

行銷基本功

你是一個合格的行銷人員嗎？你有傑夫那樣的勇氣嗎？也許每個人的腦海裡都有很多偉大的計畫，可是有多少人有勇氣及毅力將夢想付諸實現呢？不要再猶豫、不要再有顧慮，大膽走上前去，勇敢面對自己的每一個客戶吧！只要有勇氣去面對所有好與不好的局面，有勇氣去開創任何可能的機會，化所有不可能為可能，如此，你將會化腐朽為神奇，不斷地為自己贏得先機。

10.別讓「不可能」限制住了

科爾曾是一家報社的員工，剛到報社當廣告業務員時，他對自己很有信心，因此他向經理提出不必設月薪，只需按他每個月拉到的廣告費抽取佣金即可，經理也答應了他的請求。

於是，他列出一份名單，準備去拜訪一些很特別的客戶，而這些客戶都是以前沒有洽談成功，且大家公認不可能與之合作的客戶。在拜訪這些客戶前，科爾把自己關在房間裡，站在鏡子前，把名單上的客戶名字唸了十遍，然後對自己說：「下個月之前，你們將會向我購買廣告版面。」

之後，他懷著堅定的信心去拜訪客戶。第一天，二十個「不可能的」客戶中他成交了三個。第一個星期之中，他又成交了兩個。到了月底時，二十個客戶中只剩一個尚未成交。

第二個月，科爾並未拜訪新的客戶，仍舊鎖定尚未成交的難纏客戶。每天早晨，當那位客戶的商店一開門，他就進去邀約店主購買廣告

版面；而店主的回答總是說：「不！」

可是每當那位店主說「不」時，科爾都會假裝沒聽到，依然故我地繼續前去拜訪。到第二個月的最後一天，對科爾已經連說了三十天「不」的店主說：「你已經浪費了一個月的時間拜託我買你的廣告，我現在想知道的是，你為何如此堅持呢？」

科爾說：「我並沒有浪費時間，反而覺得是在學習，而您就是我的老師！我一直在訓練自己堅忍不拔的精神。」

店主聽了點點頭，接著科爾的話說：「其實我也等於在上學，而你就是我的老師！你已經教會我堅持到底這一課，對我來說，這比金錢更有價值，為了向你表示感激，我決定購買一個廣告版面，當作是給付你的學費。」

遭遇挫折的科爾，憑著堅忍不拔的精神達成了成功的目標，而在生活和事業中，我們往往就是因為缺少這種鍥而不捨的精神而與成功失之交臂。

行銷基本功

在行銷過程中，說服別人固然需要技巧，但堅忍不拔的毅力更不可少，因為這種鍥而不捨的精神不僅能打動客戶的心，更能讓他們相信，付出的金錢必能得到相對的回報與回饋。不要因為被客戶拒絕，就退縮不前，應將所有挫折當作學習機會，視客戶的拒絕為挑戰，一次又一次地向前邁進，你將會不斷地成長與茁壯。化不可能為可能，不畏艱難，勇往直前，你將會有意想不到的收穫。

11.行銷要懂得不拘常規

在一家營收不錯的公司，員工都習慣了服從。一天，總經理吩咐任何人都不要走進八樓那個沒掛門牌的房間，但他並沒有解釋原因。大家牢牢記住了總經理的叮囑，誰也不去八樓那個沒掛門牌的房間。

一個月後，公司新進了一批員工，總經理對新人又交代了一次。

這時，有個年輕人在下面小聲嘀咕了一句：「為什麼？」

總經理滿臉嚴肅說：「不為什麼！」

回到崗位上，那個年輕人還在不解地思考著總經理的吩咐，同事便勸他只要做好自己的工作就好了，不用操別的心，時時聽從上級的吩咐準沒錯。

但年輕人卻偏要打破砂鍋問到底，眾人便拿出公司的規定提醒他。可是年輕人不聽勸告，非要走進房間一探究竟。

他輕輕地敲門，沒有回應，再輕輕一推，虛掩的門開了。房間裡只擺了一張桌子，桌子上放著一張紙牌，上面用紅筆寫著幾個字——把這個紙牌送去給總經理。

年輕人十分困惑地拿起那個沾了許多灰塵的紙牌，走出了房間。

這時，同事們都為他擔憂，有人替他出主意，勸他趕緊把紙牌送回去，大家也都同情地表示：「一定會替他守密。」

可是年輕人卻謝絕了眾人的好意，直奔總經理辦公室。當他將紙牌交到總經理的手中時，總經理一臉笑意，宣布了一項讓他震驚的消息：「從現在開始，你被任命為業務部經理。」

「就因為我把這張紙牌拿來了？」年輕人不解地追問。

「沒錯，我已經等了快半年了，相信你能勝任這份工作。」總經理充滿自信地看著他。

後來，在年輕人的帶領之下，業務部的業績果然蒸蒸日上。

事後，總經理向眾人解釋：「行銷是最需要創造性的工作，只有不被舊有成規束縛住才能勝任。你們就是因為已經習慣於安逸、習慣於服從，缺乏創意與突破，才會壓抑自己的好奇心。但，這並非是個好的業務員該有的特質啊！好奇也許真的會殺死一隻貓，但如果自己只是訓練有素的工作機器，不是更顯悲哀嗎？」

行銷基本功

這是一家公司選拔業務經理的真實案例。我們可以從這個故事中領悟到業務員應該具有的素質，那就是「不拘常規」。在行銷過程中，許多地方都要求業務員具有創新意識，而創新的根源則是自己的好奇和決心。凡事不求甚解，只知一味服從而提不出任何看法，只會使自己逐漸與創新愈離愈遠。沒有創新，自然就無法獲得最新的資訊，增加自己的籌碼與資產了。

12.以目標激勵自己

一九六八年春，羅伯．舒樂博士立志要在加州建造一座水晶大教堂。他向知名的設計師菲利浦．強森表達了自己的構想：「我要的不是一座普通的教堂，我要在人間建造一座伊甸園。」

強森接著詢問他的預算，舒樂博士堅定而坦率地說：「我現在一分錢也沒有，所以一百萬美元與四百萬美元的預算，對我來說沒有分別。重要的是，這座教堂本身要有足夠的魅力來吸引大眾捐款。」

教堂最終預算為七百萬美元。而七百萬美元對當時的舒樂博士來說，是一個不僅超出了能力範圍，也超出了理解範圍的數字。

當天夜裡，舒樂博士拿出一張白紙，最上面寫著「七百萬美元」，然後又寫下了十行字：

(1) 尋找一筆七百萬美元的捐款。

(2) 尋找七筆一百萬美元的捐款。

(3) 尋找十四筆五十萬美元的捐款。

(4) 尋找二十八筆二十五萬美元的捐款。

(5) 尋找七十筆十萬美元的捐款。

(6) 尋找一百筆七萬美元的捐款。

(7) 尋找一百四十筆五萬美元的捐款。

(8) 尋找二百八十筆二萬五千美元的捐款。

(9) 尋找七百筆一萬美元的捐款。

(10) 賣掉一萬扇窗戶，每扇七百美元。

六十天後，舒樂博士以水晶大教堂奇特而美妙的造型打動了富商約翰．可林，說動他捐出了第一筆一百萬美元。

第六十五天，一對聽了舒樂博士演講的農民夫妻，捐出第一筆一千美元。

第九十天時，一位被舒樂博士精神所感動的陌生人，生日當天寄給舒樂博士一張一百萬美元的支票。

八個月以後，一名捐款者對舒樂博士說：「如果你的誠意和努力能籌到六百萬美元，剩下的一百萬美元就由我來支付。」

第二年，舒樂博士以每扇窗五百美元的價格，請求大眾認購水晶大教堂的窗戶，付款辦法為每月五十美元，分十個月分期付款。六個月內，一萬多扇窗戶就全部售出了。

一九八〇年九月，歷時十二年，可容納一萬多人的水晶大教堂竣工了，它成為世界建築史上的奇蹟和經典，也成為世界各地前往加州的人必去瞻仰的勝景。

行銷基本功

並非每個人都要建一座水晶大教堂，但是每個人都可以設計自己的夢想，每個人都可以拿出一張白紙，敞開心扉，寫下十個甚至一百個實現夢想的途徑。因為很多事情就是從一張紙、一枝筆與一個清單開始的。只要你有足夠的恆心、毅力和足夠的堅持，夢想是可以實現的。行銷也是如此。不要盲目地追逐客戶，應有計畫地訂立有效的推銷方向與目標，不輕言放棄，逐步實現之，如此一來，很快地，你就能達成既定目標。

13.重視信譽

一八三五年，當約瑟・摩根先生成為一家名為「伊芳特納火災」的小保險公司股東後不久，一位「伊芳特納火災保險公司」的保戶家裡發生了火災，按照規定，保險公司必須給付理賠金。可是，如果完全付清理賠金，保險公司就會破產。不少投資者顯然沒有經歷過這樣的事件，個個驚慌失措，願意自動放棄他們的股份，因為他們不願承擔掏錢賠償投保人的損失，紛紛要求退股。

摩根先生再三斟酌之後，認為自己的信譽比金錢重要。於是，他四處籌款並賣掉自己的房地產，然後將理賠金如數付給保戶。

一時間，「伊芳特納火災保險公司」聲名大噪。

幾乎身無分文的摩根先生還清了保險公司所有人的股份，但保險公司已經瀕臨破產。無奈之下，他打出廣告，凡是再投保「伊芳特納火災保險公司」的客戶，理賠金一律加倍給付。

他沒有料到的是，沒多久，指名投保火險的客戶蜂擁而至，「伊芳特納火災保險公司」從此崛起。

結果，摩根不僅為公司賺取了利潤，也贏得了信用資產。信用資產不僅讓自己終身受用，甚至可以讓後代子孫來繼承。

許多年後，J. P. 摩根主宰了美國華爾街金融帝國，而當年的約瑟·摩根先生正是他的祖父，是美國億萬富翁摩根家族的創辦人。紐約大火燒出來的信用，後來成了摩根家族的遺傳基因世代相傳，傳到J. P. 摩根身上時，將其發展成一套基本的經營哲學和人生哲學，從而也建造起他的金融帝國。成就摩根家族的並不僅是一場火災，而是比金錢更有價值的「信譽」。大女婿沙特利在日記中記載了J. P. 摩根生前最後一次為眾議院銀行貨幣委員會所做的證詞，他的核心證詞只有兩個字：「信用！」看來，它已經傳到了下一代手中，只要摩根帝國還在，就會傳承下去；一旦失傳了，帝國的大廈也將頃刻傾圮。

行銷基本功

君子愛財，取之有道。摩根家族之所以會崛起，與其創辦人始終堅持的原則有很大的關係，「誠信」二字，使他們擁有了最寶貴的無形資產——信譽。同理可知，行銷的意義不僅是行銷商品，更是行銷企業形象、行銷公司及個人信譽。能擁有自我信譽的推銷員，不但可贏得客戶的信任，更可無限延長自己的工作生涯，永續發展。信用、誠信，即是一個成功推銷員的最佳外表，有了這個外表，你便向成功邁進了一大步。

14.眼光要看得遠

這是一個大陸青年發跡的故事。故事是這樣開始的，從前有兩個青年一同開山，一個把石塊砸成石子運到路邊，賣給建造房子的人；另一個則直接把石塊運到碼頭，賣給杭州的花鳥商人。因為這裡的石頭總是奇形怪狀，他認為賣重量不如賣樣式。不久之後，他成為村上第一個蓋起瓦房的人。

後來，政府不許開山，只許種樹，於是這兒成了果園。每到秋天，滿山遍野的鴨梨招來八方客商，他們把堆積如山的鴨梨成筐成筐地運往北京和上海，然後再運往韓國和日本。因為這裡的鴨梨，汁甜肉脆，美味無比。

就在村上的人為鴨梨帶來的小康日子歡呼雀躍時，這名青年卻開始種起柳樹。因為他發現，來這裡的客商不愁挑不到好鴨梨，只愁買不到盛鴨梨的筐。五年後，他成為村裡第一個在城裡買房的人。

到了後來，一條鐵路貫穿南北，這裡的人上車後，可以北到北京，南抵九龍。小村對外開放，果農也由單一地賣果，開始從事果品加工及市場開發。就在一些人開始集資辦廠的時候，他卻在當地砌了一面三公尺高、百公尺長的牆。牆面向鐵路，背依翠柳，兩旁是一望無際的萬畝梨園。坐車經過這裡的人，在欣賞盛開的梨花時，都會突然看到四個大字：「可口可樂」，據說這是五百里山川中唯一的廣告，他靠著這面牆，第一個走出了小山村，因為他每年有十萬元的額外收入。

九○年代末期，日本豐田公司亞洲區代表山田信一到大陸考察，當他坐火車路過這個小山村，聽到這個故事時，就被這罕見的商業頭腦所震驚，決定下車尋找這個人。

當山田信一找到這個人時，這名青年正在自己的店門口與對面的店主吵架，因為當他店裡的西裝一套標價八百元時，同款西裝對面只標價七百五十元；當他標價七百五十元時，對面就標價七百元。一個月下來，他僅賣出八套西裝，而對面卻賣出八百套。

山田信一看到這種情形，非常失望，以為自己被說故事的人騙了。可是，當他弄清真相之後，立即決定以百萬年薪聘請他，因為對面那家店其實也是這位極具商業頭腦的青年經營的。

行銷基本功

成功往往屬於先想一步的人。在銷售過程中，一定要目光長遠，放長線釣大魚，吸引客戶的注意，形成相互信任倚賴的良好關係。行銷產品時要常常問自己，如何以更好的方法將產品介紹給客戶，或是如何以不同的行銷手法讓產品的銷售量大增。銷售人員要常常激勵自己，多研究別人的行銷方式，如此才能看到更多面向的行銷思維與市場商機。將眼光放遠，仔細評估環境，再加上創新的點子，相信你就能永遠走在行銷工作的前端，而不是在別人後面苦苦追趕。

15. 敢於尋求商機

有兩兄弟從小就失去了父母，相依為命地過著辛苦的日子。長大之後，兩人做起了小買賣，當起了小商販。

有一年夏天，弟弟對哥哥說：「我們總在本村附近銷售商品也不是個辦法，應該到更遠的地方去尋找市場。」

哥哥表示同意。於是兩人就背著沉重的商品，辛辛苦苦地爬過一座山頭，準備到另一個村落去做買賣。

這個夏天特別熱，另一個村子又與他們相距甚遠，汗水濕透了他們的衣服，熱得受不了的哥哥擦著滿身的汗對弟弟說：「哎！太熱了，以後再也不要到這種地方做生意了。」

弟弟笑著回答說：「我的想法跟你不一樣，我想這座山如果再高幾倍，那該有多好啊！」

哥哥不以為然，抱怨地說：「你爬糊塗了，山當然要愈低愈好。」

弟弟說：「如果山很高的話，許多商人爬不久就會知難而退，那麼我們就可以多做一些生意，賺更多的錢了。」

哥哥聽了之後連連點頭稱是，再也不抱怨了。

行銷基本功

這是個積極開拓市場的例子。弟弟的可貴之處就是，他敢於踏入別人所不願涉足的領域裡尋求商機，因而獲取蘊藏其中的利益。這不單是眼光的問題，更是勇氣使然。因為機會常常躲在勇氣的背後。在行銷過程中也是如此，身為一名推銷員，若身處艱難的環境，只有鼓起勇氣，接受逆境的挑戰，縱使到了陌生的市場，也應鼓足勇氣努力打拚，那麼再大的難關也能克服，終將開創出一片新的天地。

16.隨時收集新訊息

菲利浦·亞默爾是美國亞默爾肉品加工公司的老闆。

初春的某一天，他坐在辦公室裡翻閱報紙，看看當天的新聞。突然，一則幾十個字的短訊，使他興奮得差點跳起來：「墨西哥發現了類似瘟疫的病例！」

他馬上想到，如果墨西哥真的發生瘟疫，一定會從加州或德州邊境傳染到美國來，而這兩個州又是美國肉品供應的主要基地，肉類供應肯定會變得緊張，肉價一定會上漲。

於是，亞默爾立即派家庭醫師亨利趕到墨西哥探聽情況。

幾天後，亨利發回電報，證實那裡確實爆發瘟疫，而且還很嚴重。

亞默爾接到電報後，立即籌集全部資金，購買加州和德州的牛肉和生豬，並及時運到美國東部，儲存起來以備銷售。

果然不出所料，瘟疫很快就蔓延到美國西部的幾個州。美國政府於是下令嚴禁一切食品從這幾個州外運，當然也包括牲畜在內。

於是，美國國內肉類奇缺，價格暴漲。亞默爾趁機將自己預先購進的牛肉和豬肉拋售，短短幾個月內，就淨賺了數十萬美元。

行銷基本功

行銷人員應該具有敏銳的觀察力和判斷力。在一般人的眼中看來也許是一個和商業搭不上邊的事，可是在有獨特眼光的人看來，卻是一個難得的商機。像瘟疫這種類似的情況，比如氣候異常，會導致一些消費品的需求在短期內發生極大的改變，這些就是所謂的「商機」。聰明的行銷人員就要即時抓住能獲利的商機。隨時隨地注意新的、不同的資訊，適時地進行評估與分析，你就能洞燭機先，比任何人都早一步開啟贏的契機，進而獲得成功。

17.不怕難，只管做

二十世紀初期，在大陸溫州有一個年輕人，到甘肅一個貧困地區推廣校徽業務，可是過了許多天都一事無成，半枚校徽也沒推銷出去。

到底是什麼原因呢？一是那地方太窮了，兩角錢一枚的校徽，學生們買不起；二是大家都沒有佩帶校徽的習慣。這名年輕人有些心灰意冷。有一天，他來到一個位在山脊上的村辦國小碰運氣，學校的老師很熱情，答應訂製一批校徽。

說是一批，其實也只有十三枚，因為全校師生只有十三人。講好校徽每枚收費是兩角錢，他自知這是一筆賠錢的生意，雖猶豫了片刻，但最後還是咬牙答應下來。

這名年輕人迅速到鄉郵電所發了一個緊急電報，請工廠在三天內趕製十三枚校徽寄到這所村辦學校。

開模具、製作、寄包裹，這十三枚校徽寄到這個國小時，光是成本，就花了七十多元，但收費卻不到三塊錢。

幾個月後，正趕上鄉裡舉辦全鄉小學生運動會，這所山脊上的村辦國小十二名學生和一名老師戴著閃亮的校徽走進了運動場。看著他們胸前引人注目的校徽，其他學校的學生都非常羨慕，也要求學校要戴校徽。後來，鄉裡決定，為全鄉數千名小學生向那名推銷員訂製漂亮的校徽。

受此影響，戴校徽的旋風刮遍了全縣。一年之後，包括鄰縣的中、小學生幾乎都戴上了年輕推銷員所推銷的校徽。

行銷基本功

俗話說：「萬事起頭難」，一旦開始並取得成功、打開局面，接下來的事情就好辦多了。這個推銷校徽的年輕人就是抓住了這個道理，用賠錢的第一筆校徽，迅速開創了一個嶄新的局面，其中值得我們學習的，不只是事情成功的表面，更是這名年輕推銷員的勇氣與獨特的眼光。在正常銷售手段和策略都不能奏效的情況下，有時使用非常的方法，獨闢蹊徑，也會得到意想不到的效果。不要怕難，勇於面對現況，靈活的行銷企劃人員，就是要常常刺激自己的創意，才能在商場上有不一樣的表現。

18.寶石貓眼和金貓身

有一天，傑克和湯姆到街上去。湯姆去了古玩市場，傑克則去了小吃店。

湯姆看到一位老婦人拿著一隻玩具貓，便上前探問。老婦人說這可是祖傳寶物，因為兒子病重沒錢醫治，不得已才想要將這玩具貓變賣，以換取一些金錢。

湯姆隨手拿起這隻玩具貓，發現貓身很重，似乎是用黑鐵鑄成的。聰明的湯姆一眼就發現，那一對貓眼是用寶石做成的，因為他看到了那貓眼中散發出的綠光。他為自己的發現欣喜若狂，趕緊問老婦人要賣多少錢。老婦人說：「因為要為兒子醫病，所以三千美元就賣。」

湯姆想了想說：「那麼我就出一千美元買這對貓眼吧！」

老婦人盤算了一下，認為合理，就答應了。湯姆到小吃店找到傑克，興奮地說：「我僅僅花一千美元就買下了兩顆綠寶石，簡直不可思議！」

傑克發現這雙貓眼的確是罕見的綠寶石，便詢問事情的經過。聽了湯姆的講述，傑克立刻放下還沒吃完的炸雞，跑到街上找到賣玩具貓的老婦人，並表示想買那隻玩具貓。老婦人說：「貓眼已經被別人買走了，如果你還想要的話，就二千美元賣你吧！」

傑克馬上付錢將玩具貓買了回來。

「你怎麼花二千美元去買一隻瞎貓啊？」湯姆嘲笑他說。傑克並不在意，反而向服務生借來一把小刀，用刀刮著玩具貓的一隻腳。等黑漆脫落後，居然露出金色的光芒，他興奮不已大叫：「果然不出我所料，這貓是純金鑄造的啊！」

想像一下，當年這隻玩具貓的主人，一定是怕金身暴露，便用黑漆將玩具貓漆了一遍。湯姆自嘆不如，忙問傑克是如何發現的。

傑克笑道：「你雖然能發現貓眼是用寶石做的，但卻沒有想到，既然貓眼是用綠寶石做成的，那麼貓身會用不值錢的黑鐵做成的嗎？」

行銷基本功

生活中到處都有商機，但重要的是，要有洞察市場先機的能力。能用寶石做貓眼的玩具貓，其身體也絕不會是普通的材質。此例運用在行銷中，身為主管，若有慧眼識英雄的能力，相信你的下屬一定都是能人；身為行銷者，若有這種獨特的觀察力，瞭解一個有潛力的市場背後，必定蘊藏著一個龐大的商機，那麼，成功就離你不遠了！

19.開發出新的市場

有一家績效相當不錯的公司，準備擴大經營規模，高薪聘請行銷人員。一時間，報名者雲集。

面對眾多的應徵者，公司負責人說：「為選拔高素質的行銷人員，我們給各位出了一道實務的考題，題目是『賣梳子給和尚』，誰賣得多就錄取誰。」

大多數應徵者都困惑不解，甚至憤怒地說：「出家人要梳子有什麼用處？這豈不是精神錯亂嗎？」不一會兒，應徵者紛紛拂袖而去，只剩下三個應徵者甲、乙、丙。

主考官交代：「以十日為限，屆時向我報告銷售成果。」

十天過後。

負責人問甲：「賣出幾把？」

甲答：「一把。」

「怎麼賣的？」

甲講述了歷經的辛苦，他遊說和尚應當買把梳子，不但沒有效果，還慘遭和尚的責罵，幸好在下山途中遇到一個小和尚邊曬太陽邊使勁搔頭皮。甲靈機一動，遞上木梳，小和尚用後滿心歡喜，於是買下一把。

主考官問乙：「賣出幾把？」

乙答：「十把。」

「怎麼賣的？」

乙說，他去了一座名山古寺，由於山高風大，進香者的頭髮都被吹亂了。他找到寺院的住持，對他說：「蓬頭垢面來參佛是對佛的不敬，應在每座廟的香案前放把木梳，供善男信女梳理頭髮。」住持採納了他的建議，於是他便順利地賣出十把木梳。

主考官問丙：「賣出幾把？」

丙答：「一千把。」

主考官驚問：「怎麼賣的？」

丙說，他到一個頗具盛名、香火極旺的深山寶寺，那裡的朝聖者、施主絡繹不絕。丙對住持說：「凡進香參觀者，都有一顆虔誠之心，寶寺應有所回贈，以做紀念，保佑其平安吉祥，鼓勵其多做善事。我有一批木梳，聽聞您的書法超群，若能在木梳上寫上『積善梳』幾個字，便可作為贈品。」住持大喜，立即買下一千把木梳。得到「積善梳」的施主與香客也都很高興，一傳十、十傳百，朝聖者更多，香火也更旺了。

行銷基本功

把梳子賣給和尚，聽起來似乎令人匪夷所思，但若能以不同的思維，從不同的推銷角度切入，則將會有不同的結果。如此一來，任何看似不可能完成的任務，若以巧妙的角度切入，且善用觀察，就能化不可能為可能，並在別人認為絕無機會之處開發出新的市場，這才是真正的行銷高手。

20.做好一切準備工作

有一個青年畫家，畫出來的畫總是很難賣得出去。他看到大畫家阿道夫・門采爾的畫很受歡迎，就登門向他求教。

他問門采爾：「我畫一幅畫，往往用不到一天的時間，為什麼賣掉它卻要等上整整一年的時間呢？」

門采爾想了一下，對他說：「請倒過來試試。」

青年不解地問：「倒過來？」

「是的。如果你花一年的工夫去畫，只要一天的時間就能賣掉它。」

「一年才畫一幅，這多慢啊！」

「對！創作是一個艱鉅的工作，是沒有捷徑可走的。試試吧，年輕人！」

青年畫家接受了門采爾的忠告，回去以後，苦練基本功，深入收集素材，周密構思，用了近一年的時間與精力畫了一幅畫。果然，不到一天的時間畫作就被買走了。

青年畫家從這次的成功經驗中體會到，想要做好一件事是沒有取巧的方法，唯有「腳踏實地」才是不二法門。

行銷基本功

這個故事點出了兩個重點：一、好的產品並非一蹴可幾；二、當產品生產過剩時，銷售就成了大問題。所以，當我們在銷售過程中，一定要戒驕、戒躁，有謂「欲速則不達」，有所謂「慢工出細活」，唯有充分做好行銷前的各項市場調查和基本準備工作，才能收到良好的行銷效果。

21.「發現」就是成功之門

有位年輕人搭乘火車去某地。火車行駛在一片荒蕪的山野之中，人們一個個百般無聊地望著窗外。前面有一個拐彎，火車開始減速，一座簡陋的平房緩緩地進入年輕人的視野。也就在這時，幾乎所有的乘客都睜大眼睛，欣賞著寂寞旅途的這幅特別的風景，甚至有的乘客開始議論起這座房子。

年輕人忽然靈機一動，返回時他提前下車，不辭辛苦地找到了那座房子的主人。主人告訴他，火車每天都會從他家的門前駛過，噪音實在讓人受不了！他很想以低價賣掉這間房子，但多年來一直乏人問津。

年輕人大喜，立刻用三萬美元買下這間平房。他覺得這座房子正好處在拐彎處，火車經過這裡都會減速，疲憊的乘客一看到這座房子就會精神一振，用它來做廣告是再好不過了。

很快地，他開始和一些大公司聯繫，推薦房屋正面可以做一道大的「廣告牆」，效果一定很好。後來，知名的可樂公司看中了這個點，簽訂三年的租期內，付給這名年輕人十八萬美元的租金。

這是一個真實的故事。在這個世界上，「發現」就是成功之門。生活中有許多細節隱藏著機會，只要我們用心觀察，就一定可以找到成功的啟示。

行銷基本功

要善於發現機會，尤其是在一些細節中。看到某些東西後，若自己湧現某種感覺，別人往往也會有同樣的想法。有所謂「坐而言，不如起而行。」此時，如果自己能搶先一步，付諸實行，努力開發其中蘊藏的商機，就能比光是有想法卻沒行動力的人早一步獲得商機。

一、後天訓練是與生俱來的補給品

不管你是天生的業務員，還是正想踏入這一行，基本上，成功的業務員大多具備下列條件，否則很難在這人才濟濟的行銷世界裡，闖出自己的一片天：

＊敏銳的觀察力及解析力：能夠觀察並重組原始資料成為有效的資訊。譬如，參觀客戶工廠後，便可知道該廠原料來源、工廠運作、管理等，以便瞭解客戶需求，提供最佳的服務方式。其實除了有些人是與生俱來就有這樣的本能之外，大部分的人仍可從後天的訓練中得到。

＊全面性思考的能力：一位稱職的業務員是不會單一思考的，且能夠在很短時間內思考得比別人多，這全面性的思考力有些人是與生俱來的，而有些人則靠後天訓練。

＊具備行銷知識：對4P（產品product、價格price、促銷promotion、通路place）乃至從4P概念延伸發展出的4C（消費者customer、成本cost、溝通communication、便利性convenient）等知識一定要有基本認識。

＊專業知識的學習：專業知識愈豐富，對銷售愈有利，所受到的尊敬也愈多。業務員如果擁有豐富的專業知識，則可扮演多種角色，對交易談判過程將更有收穫。不僅如此，也要具備商業貿易等專業知識，如此可避免交易瑕疵。若有餘力，最好能學習心理學，透過交談瞭解西方人、東方人、主管、業務及直接採購人員的思考模式，營造買賣雙方雙贏局面；甚至還可以研究商業面相，透過觀察，瞭解對方特性，針對不同性

質的人採用不同的方式。總之，專業知識愈豐富，就愈占上風，當然成交機會也必定更多。

＊具有第三國語言及良好的表達能力：目前大部分市場都使用英語，但建議除了英語外，能另外學習一種外語。有了語言能力後，表達能力也很重要，要適當表達，別讓對方有反駁的餘地；另外，外國人很重視表達機會，他可接受不同的看法、意見，但一定要表達他自己的想法。

＊有彈性的談判能力：交易上，遇到價格、品質、客戶有問題時，要具備能屈能伸的特質，製造雙贏局面。有些人的特質是硬邦邦的，不適合擔任業務員。

＊身心健康：心理方面，一定要有正確看法、觀念；而生理條件也是有絕對必要的，因為若有必要到國外推廣業務時，會有時差、行程緊湊等狀況要面臨，如果沒有健康、耐力，會讓自己苦不堪言。

＊能接受失敗及挑戰：報價後，如未達預期結果，請不要放棄，因為半途而廢，會讓先前的努力被他人採收成果。所以，業務員應有接受失敗及考驗的能力。記得追蹤客戶，這樣的成功機會才會更大。

＊獨特的個人特質：有些業務員與客戶特別投緣，有些則不然，其實這是可以培養的。建議發展出與他人不同的特質，便能深深吸引客戶。業務員就像演員，目的是幫公司扮演橋樑的角色，在不同時間、地點及公司形態下，對客戶的態度及方法也會有所不同。

二、打破產品賣不出去的成見

只要改變你的觀點，銷售成績將會有意想不到的效果。

我的職業是銷售顧問。而所謂的「銷售顧問」是指當公司在銷售上遭遇困難時，我就必須分析賣不出去的原因，並且提出改善方案，實際做銷售指導。

在我服務的公司裡，有個商品名為「太陽能熱水器」。這種新產品，連工程費用算在內，每臺約新臺幣三萬元。這個價格對一般消費者來說是貴了一些，所以銷售成績始終不甚理想。因此，我替這家公司成立一個企劃小組，人員共有十人，預計工作三天，銷售二百臺。但是計畫一提出，每個推銷員都認為太誇張了，公司本身也很難相信這個數字。

但是，我並非說大話，而且，我也不是只對推銷員講些道理，而是實際做給他們看。那時，大約是在冬天，我在最冷的天氣裡展開了這個計畫。就商品特性而言，冬季是淡季，因為根本用不到太陽能的功用。

第一天，只做商品及銷售方法的研究。第二天，開始展開為期三天的銷售活動。當十人小組開始活動後，第一天賣了五十五臺，第二天七十八臺，到了最後一天，大家更加賣力，賣出了九十八臺。結果，三天下來共計銷售二百三十一臺，超過了二百臺的預定目標。

每個推銷員對此成績都感到驚訝不已。漸漸地，十人小組擴增為十五、六人，銷售數量也在持續創新中。

由此可知，只要改變觀點，商品就能銷售出去。心中認為商品銷不出去而力求銷售，當然是很難賣出去的。唯有實際去銷售，才能解決一切的問題。所以說，商品沒有賣不出去的道理，只要你先把「賣不出去」的觀點改正過來。

現在想想看，你是否常常認為產品賣不出去而自我設限呢？

三、「笑臉」是融化冰山的火把

微笑絕對是最好的禮物，它價值豐盛，卻不費一分錢；它不僅不會使贈送者變得拮据，卻往往使受贈者變得更加富有；它發生於分秒之間，卻永遠不被遺忘；它是窮人的寶藏，卻也是富人的金庫。當我們進入一家商店想買東西時，若碰到老闆擺出一副後母的面孔，相信心裡必定不愉快，而且也不會多作逗留，掉頭就走。心想：「與其在這裡看你的臉色，還不如多走一點路，到別家去買！」長此以往，這家商店很快就會面臨關門的命運。

俗話說：「真誠的笑臉會把幸福帶進對方的心靈。」所以「真誠的笑臉」可以說是吸引客戶的最佳利器。一名業務員除了要注重外表的修飾，還得要留意臉部的表情。不管服務多麼完善，如果業務員的表情陰沉、冷漠，會讓對方覺得不舒服而產生抗拒的心理，那麼，這個銷售活動也絕不可能成功的。

每個人出生以後，都能夠自然地笑，所以不要認為擺出一副笑臉是很困難的事。而且，笑臉可分成很多種：有卑鄙的、冷漠的、狡詐的笑臉，也有溫柔的、和善的、溫煦的笑臉。想想看，當你擁有一張和善、溫煦的笑臉，不管任何人看到，都會心生好感並且對你敞開心扉。所以，訓練自己展開笑臉，是很重要的。

而展開的笑臉，若非是真心散發出來的笑，不但無法達到效果，反而會被對方一眼看穿其中的虛偽、矯飾，造成了反效果。因此，唯有真誠的笑臉，才能讓客戶對你產生信賴，並且打開自己的心扉。訓練自己擁有這個不可思議的力量，何樂而不為呢？

四、「誠實」是推銷的根本

向客戶推銷你的人品，實際上就是向客戶推銷你的誠實。喬・吉拉德說：「誠實是推銷之本。」據美國紐約銷售聯誼會的統計：有七成的人之所以從你那兒購買產品，是因為他們喜歡你、信任你和尊敬你；因此，要使交易成功，「誠實」不但是最好的策略，而且是唯一有效的策略。

不誠實的代價是很大的。美國銷售專家齊格拉對此深入分析道：「一個能言善道而心術不正的人，能夠說服許多人以高價購買低劣甚至無用的產品，但由此產生的卻是三個方面的損失：顧客損失了錢，也多少喪失了對他的信任感；推銷員不但損失了自重精神，還可能因這筆一時的收益而斷送了銷售生涯；以整個銷售來說，損失的是聲望和公眾對它的信賴。」

而且，做生意並不一定要有三寸不爛之舌，把產品吹捧得天花亂墜才會成功，老老實實說出商品的缺點，有時會使商品更具魅力。

有人說，對於知識水準高的客戶要坦白商品的缺點，而對於知識水準低的客戶要盡力把商品說得完美無缺，對此筆者不敢苟同。很多的經驗告訴我們，生意經不同於一般知識，即精通於生意與知識水準並不成正比，有時會出現很大的反差。況且人們的知識水準普遍提升了，完全愚昧無知的客戶相當少見。一般人都有一定程度的判斷力，靠花言巧語矇騙客戶，必定是「一錘子」買賣，對於你的前途弊多利少。

所以，根據商品的性能和特色，對客戶做某種程度的坦白，反而更能贏得贊許和信任，並且在售後服務時，如果客戶抱怨，你也有個臺階可以下，因為你已經有言在先了。

如果你在銷售工作中對客戶以誠相待，那麼，你每一次的生意會愈做愈容易成功，並且經久不衰，因為真心服務會讓客戶更信任你，下次還是會找你消費，甚至主動替你介紹生意呢！

五、「壓力」是進步的原動力

所謂銷售工作，一定要有明確的數字依據，設定一個長遠的目標。那麼，要如何設定適合自己的目標？如果目標訂得太高，而自己能力未能達到，那麼這個目標有何作用？一般而言，設定比自己能力略高的目標，可作為激勵自己不斷進步的原動力。但是若要成大功、立大業，則儘量設定自己覺得不可能達成的目標，比較有激勵作用。

為什麼呢？設定一個高目標，並對準目標挑戰，雖然這種超乎自己能力範圍的目標有時會造成失敗，但是如果把一次又一次的失敗當作是人生的歷練與學習，不斷檢討、改進，那麼，你勢必能超越眾人，鶴立雞群。

高目標使人必須更努力、加倍辛勞，但人都是這樣走出來的，有工作上的鍛鍊，才能培養優秀的業務員。雖然我們建立一個看似遙不可及的高目標，但高目標可以使我們得到高成就；而低目標只能得到小成就。人生也是如此，一個志向遠大永遠朝著目標前進的青年，跟一個只求平凡順心的青年，他們所採取的方法自然不同。

如日本豐田汽車公司的權名先生，是該公司業績最好的業務員，他一年銷售了三百多部汽車，平均一天賣出一輛。同樣地，該公司的大阪汽車經銷商水谷先生，一年也是銷售一萬輛以上，如此一流的業務員，不可能像普通的業務員一樣，以一個月的數字，或一些眼前即可達成的目標為目標，他們是以一萬輛、一萬五千輛的數字作為目標。普通的業務員如果設定這種目標，或許沒有辦法達成，但你跟他們同樣是人，同樣都是做業務工作，只要有和他們一樣的幹勁，同樣也能達到和他們相同的目標。而如果你只設定平均水準或比平均稍高的目標，那麼，永遠也只是一個平凡而毫無特殊成就的一般業務員。

總之，全神貫注、全心全意地向高目標挑戰吧！這是開發潛能最有效的方法，也是使人成長的方法。所以，如果你想成為最優秀的業務員，必須先將自己的目標訂高、放遠。唯有設定看似不可能的目標，才有可能創造出銷售奇蹟。

加快你的腳步，一般人一年才能完成的事，你在半年內就完成；別人花一個星期去做的事，你只需要三天，如此一來，才能超越別人。唯有不斷地前進、前進、再前進，才能往最高的目標邁進。但要是因為成績尚可，就稍作休息而把拜訪客戶的事停頓下來，很快地，你就會被別人超越。

六、「堅持」是業績的推手

有句話說得很好：「成功者絕不放棄，放棄者絕不成功。」

銷售這條路漫長又艱辛，不僅要時時保持十足的衝勁，更要秉持著一貫的信念，自我激勵，自我啟發，才能堅持面對重重難關。尤其在陷入低潮時期，若無法適時做好自我調整，這條路勢必將畫上永遠的休止符。有很多前景頗被看好的業務員，因為他那十足的衝勁無法永遠保持在巔峰狀態，而悄然從這一璀璨的行業中逐漸引退。

A君，連續十年蟬連縫紉機銷售冠軍。中學畢業後，原本繼承父業從事鑄工一職，不料數年後經濟不景氣，導致訂單大幅銳減，一個星期中實際工作沒幾天，而此時的他已經結婚生子了，因此經濟愈來愈拮据。直到有一天偶然看到一張「誠徵推銷員，專職、兼職均可」的廣告，當時他心想既然可以兼職，可利用星期六、日去跑客戶，也不考慮自己從無銷售的經驗，對縫紉機更是一無所知，便跑去應徵了。更有趣的是，當他簡單說完自己來應徵的目的時，也不管店長是否錄取他，便一把抓起一旁的廣告宣傳單，說聲「我走了」，只留下店長在後面大叫：

「你到底懂不懂什麼叫縫紉機？」

儘管他根本不懂怎麼操作縫紉機，也不懂種種的推銷技巧，只憑著自己的一片熱忱，逢人便說擁有一台縫紉機可以自己做衣裳、繡花，享有數不盡的樂趣。很快地，一個月兼職的時間過去了，他以一個毫無經驗的新人身分，才八個工作日，就創下了三十七台的佳績，勇奪全店冠軍，遠超過所有專職的老推銷員。

據統計，推銷員上門訪問一次的成功率微乎其微，只有靠一次又一次堅韌不移的耐心去爭取，生意才會成功。

推銷就是初次遭到客戶拒絕之後的堅持不懈。也許你會連續幾十次、幾百次地遭到拒絕；然而，就在這幾十次、幾百次的拒絕之後，總有一次客戶將採納你的計畫。為了這僅有一次的機會，推銷員在做著殊死的努力，推銷員的意志和信念就在於此。鼓起勇氣，再試一次，也許這次，你就能成功。

七、「不逃避」是成功的引薦者

挨戶訪問推銷猶如螞蟻戰，要遍地開花，無差別，無遺漏，不放過任何一個可望成交的客戶。

林肯說過：「做事的訣竅是同一時間只專注一件事。」初出茅廬的新手就好像初學跳舞，要從基本舞步學起，再學花步，自然得心應手。沒有好的基礎是不可能有亮眼的成績。

挨戶推銷是銷售工作不變的基本原則。但有些推銷員面對一些「豪門巨戶」或「別墅雅舍」，就十分自卑，因而躊躇不前。於是，抱著避難就易的心理，把挨戶推銷變為選擇推銷，喪失掉無數的機會，就等於是成功在選擇你了。

假定你是小企業主或來自小地方，或者你的商品尚未在市場上打開知名度，也許你會有這樣的感嘆：「好氣派的公司，一定瞧不起我！」「大城市的人一定瞧不起鄉下來的人！」「這麼有名的企業會使用我的商品嗎？」於是一一略去，自以為是地去尋找「適銷對象」。你或許聽過業務員這樣議論：「××公司的總經理不好說話，生意難做！」「××地方的人很野蠻，不要去惹的好！」「××地方交通不便，生活條件差！」於是便自認為英明而不去「自討苦吃」了。這些心理是破壞挨戶推銷原則的元凶。應該記住，逃避不能有第一次，一次的經驗便是第二次、第三次的開始。

莎士比亞說過：「猶豫不決、躊躇的心理是對自己的叛逆。如果害怕嘗試，此人絕對無法掌握一生的幸福。」所以，與其說是你在一次一次地逃避困難，不如說是你在一次一次地趕走成功。

業務員碰到豪門巨戶，總舉不起敲門的手，生怕被人瞧不起或像乞丐似地被轟出來，這是自卑心理。難道業務員是上門乞討的窮乞丐，或者看似家境寒酸？記住，有錢就有購買力，往往也有很強的購買欲。任何人都需要消費，沒有消費就無法生存。為什麼要怕？怕難纏？怕羞辱？從事推銷工作就是要有克敵制勝的信心，怕的唯一結果是失敗。

一次躊躇、一次逃避是另一次躊躇和逃避的開始。好比嬰兒被抱一次，就會期待另一次被抱時的安慰，被抱慣了的嬰兒，如果一天到晚不被母親抱在懷裡，就會哭鬧不休。

業務員的訪問推銷只有一個原則——挨家挨戶推銷。一家也不要逃避，一家也不要漏掉。逃避、漏掉一家，就失去了一次成功的機會。

八、設定路線逐戶拜訪

「那家房子看起來破破爛爛的，應該沒什麼錢！可是那屋主竟然能輕而易舉地就拿出一百萬的現金呢！真令人吃驚，住那麼破的房子，竟然那麼有錢！」在市場調查中，最重要的是，切勿一開始就以外觀擅自判斷訪問對象的好壞。有銷售經驗的人，都曾有過類似的體驗，就是用外表來判斷客戶的好壞，最後卻發現是自己判斷錯誤。

有的業務員在訪問時，擅自決定哪些地方不行、沒辦法推銷，然後就把這些地區排除在外，這是不對的。業務員應實地去拜訪，不要紙上談兵，畢竟有時也會遇到意想不到的商機。

從事逐戶拜訪銷售時，活動順序如下：

1. 決定拜訪銷售的區域。
2. 決定路線。
3. 挨家挨戶地拜訪。
4. 定期的、有計畫的、長期的拜訪。

這些就是定律，按照這些定律去經營銷售，銷售活動的效率將會大幅提升。持續地做，不斷地做，銷售的成績愈好，效果也愈大。當業績如滾雪球般地愈滾愈大，你會發覺其中的樂趣。

成功還是失敗，不僅僅是企業的問題，更是每位業務員切身的問題。尤其是採取區域戰略的企業，第一線業務員每天的活動結果，將會決定他自己的命運。他所負責區域內的競爭，是勝是敗，都足以作為其營業據點存廢的依據。所以，業務員該積極地先下手為強。

在營業區域內制人還是受制於人，便是一個重要的分水嶺。或許企業本身的形象，廣告的宣傳量，也是決定成敗的因素，但總歸一句話，最重要的還是第一線業務員活動量的多寡。作為第一線的業務員，切勿一味地苛求廣告的宣傳量太少，或其他種種不切實際的東西，應在活動量上找出制敵的先機，才能算是真正的業務員。

擴大人際關係的管道，就是將客戶變成自己的助手，雖然產品及交易條件的優劣與否也是至關重要的，但比這更重要的是人際關係。這種關係來自人與人之間的相互往來，從第一次見面開始，次數愈多，關係就愈密切。想提高潛在客戶數，唯有增加拜訪次數，才有長足的成效。

九、做好拜訪前的準備工作

拜訪客戶之前，必須有充分準備，瞭解客戶的需求及公司財務狀況，目前最快捷的方法便是透過網路查閱受訪公司的相關資訊。可以將公司的資料下載，瞭解公司的組織，經營者的姓名、公司產品及銷售網，甚至包括公司的最新發展等等。

最重要的是，要瞭解客戶的商業模式或是賺錢模式、知道客戶的原物料上游供應狀況及下游的經銷體系，甚至主要客戶是誰等等都必須瞭若指掌，將來在面對客戶時，才能相當完整、清楚地為客戶說明，你的產品對他們公司的重要性。

準備充分之後，行程的安排就很重要。若是從事國內銷售業務，一般行程在安排上不成問題；但若是在國外的話，要注意的事項較多，尤其文化上的不同，行程之安排最好能以他們的習慣來做調整。還有必須確定行程的目的是什麼。例如接單、客訴、例行拜訪等等所需準備的行頭就各有不同。拜訪客戶時準備禮物不須太貴重，否則會被懷疑另有企圖；另外，對於受訪客戶國家的歷史、土地、國情最好都能有基本認識，尤其是西方國家或較小國家，這將會讓他們有不同的感受。再者，建議用該國語言牢記客戶名字。在國外出差時儘量與客戶拍照，方便做完整的紀錄，以便下次其他同事出差時能知道客戶稱謂和名字，這些做法會讓他們感覺很親切。

選擇客戶的標準包括客戶的年收入、職業、年齡、生活方式和嗜好。客戶來源有三種：

1. 以現有客戶提供的新客戶資料。

2. 從報刊上的人物報導中收集的資料。

3. 從職業分類上尋找客戶。

在拜訪客戶前，一定要先弄清楚客戶的姓名。例如，想拜訪某公司的執行副總裁，但不知道他的姓名，可以主動打電話到該公司，向總機人員或公關人員請教副總裁的姓名。知道了姓名以後，就可以進行下一步的推銷活動。

拜訪客戶是要有計畫的。首先，先把一天當中所要拜訪的客戶都選定在某一區域之內，這樣可以減少來回奔波的時間。根據筆者的經驗，利用四十五分鐘的時間做拜訪前的電話聯繫，即可在某一區域內選定足夠的客戶供一天拜訪之用。

利用不去拜訪客戶的日子，從事聯繫客戶，約定拜訪時間的工作；同時，也利用這個時候整理客戶的資料。記得要把拜訪的對象集中在某一個區域內，以減少中途的往返奔波，達到有效利用時間的目的。

馬丁．謝飛洛說：「一個人一天的時間就是那麼多，誰愈會利用時間，誰的成就就愈大。根據經驗顯示，能力相同、業務相似的兩位業務員，如果其中一位拜訪客戶的次數是另一位的兩倍，那麼這位業務員的成績也一定是另一位的兩倍以上。所以，要成為優秀的推銷員，一定要學會利用時間。把拜訪客戶列為第一要務，其次是聯繫客戶約定拜訪時間，再其次是整理客戶的資料。果真能照著這樣做，還能不成功嗎？」

十、如何成爲業績第一的推銷員

訂立高目標、堅持到底，絕不鬆懈及妥協，可以確實幫助你成為一個優秀的推銷員，並且提升你的銷售成績達十倍以上，主要的實行方法如下：

1. **高目標、高成果**：沒有一個工作是毫無目標的。在有限的時間裡要完成多少工作，這就是目標；如果沒有目標，那這工作就沒什麼意義了，因為這種工作完全不用看能力、看表現，而事業當然也就不會進步了。

所謂銷售的工作，一定要有一個數字的依據，訂定一個明確的目標。那麼要如何訂定適合自己的目標？如果目標訂得太高，而自己能力達不到，那這個目標有何作用？一般而言，設定比自己能力略高的目標，可作為刺激自己不斷進步的原動力。

但是若要成大事、立大業，則儘量訂定自己覺得不可能達成的目標較好。為什麼呢？訂立一個高目標，並對這個目標挑戰，這種超乎自己能力的目標也許會帶來失敗，但是不檢討、改進，還按照失敗前的方式去做，怎麼可能成功？要達成這個高目標，當然是特別辛苦，即使又失敗了，那就當作是人生的磨練、人生的學習。高目標使人必須努力、辛勞付出，人都是這樣走出來的，工作上的鍛鍊，可培養出優秀的業務員。

我們要建立一個高目標，高目標可以使我們得到高成果，而低目標只能得到小成果。人生也是如此，一個志氣遠大永遠朝著目標前進的青年，跟一個只求平凡過日子的青年，他們所用的方法，當然不同。如日本豐田汽車公司的權名先生，是該公司最高銷售額的業務，他一年銷售了三百多輛的汽車，平均一天賣出一部。如此一流的推銷員，不可能像普通的業務員一樣，以一個月的數字，或一些眼前即可達成的目標為目標，他們是以一萬輛、一萬五千輛的數字作為目標。

普通的業務員如果設定這種目標，或許沒有辦法達成，但你跟他們同樣是從事業務員的工作，只要你跟他們一樣有幹勁，也可以達到和他們相同的目標。如果你只設定跟平均一樣或比平均稍高的目標，那麼永遠也只是一個平凡而毫無特殊成就的一般業務員。

總之，全神貫注、全心全意地向高目標挑戰吧！這是開發潛力最有效的方法，也是使人成長的方法，所以，如果你想成為最優秀的推銷員，必須先將你的目標訂高、放遠。唯有訂定令人不可思議的目標，才有可能創造出銷售奇蹟。

2. **以最短的時間達成你的目標**：加快你的腳步，一般人一年才能完成的事，你半年就可完成；別人花一個星期去做的事，你只需要三天，如此才能超越別人。

3. **與客戶打好關係**：儘量保持多數的預定客戶，即使是微不足道的小客戶，也不可輕忽。對於只有一次交易的客戶，也該好好地聯絡，因為客戶會介紹新客戶。所以，若想擴展你的銷售網，使你的客戶人數從一變十、十變百、百變千……，應從目前你所擁有的客戶做起，使客戶成為你最得力的助手。

4. **從一而終，中途絕不可鬆懈**：不要管別人的銷售成績如何，必須不斷地前進，再前進，往最高目標邁進，如果因為成績還好而稍作休息，把拜訪客戶的事情鬆懈下來，那麼很快就會被別人超越的。

5. **磨練銷售技巧**：接觸更多的客戶，克服各種困難和挑戰，這就是磨練銷售技巧的最好方法。磨練出銷售的感性，培養對客戶的應對能力，就能使目前的成交率提高二到三倍。

6. **把希望程度較高的客戶挑出來，並且密集拜訪**：如此，銷售額將無疑地躍升許多。

以上幾點，就是能使你提高銷售成績的各種方法。也許實行起來並不容易，正因行之不易，因此社會上業務員人數雖多，但擁有高銷售額業績的業務員，卻是鳳毛麟角。但是，只要你有幹勁、有決心，以上所列的項目將無不可行的，主要關鍵在於你是否有這個決心與毅力。

十一、業務員必須具備的專業特質

1. **對產品的知識**：Top業務員會仔細分析市場環境，並全面瞭解所推銷的產品或服務。產品的知識，決定成功或失敗。

2. **相信產品或服務**：業務員無法賣出自己不瞭解或不相信的東西。Top業務員不會嘗試推銷他沒有信心的東西，因為他的內心不會把對產品缺乏信心傳遞給目標客戶，不論他的解說多麼精彩。

3. **合適的對象**：Top業務員會分析目標客戶的需求，提供合適的產品，不會向只開二手車的人推銷勞斯萊斯，即使明知對方買得起昂貴的汽車。

4. **合理的價格**：Top業務員不會向目標客戶敲竹槓，殺雞取卵不如細水長流。

5. **瞭解目標客戶**：Top業務員擅長分析個性，能夠看出客戶基本的動機，根據這些動機做解說，促使對方回應。如果目標客戶沒有特別的購買動機，他會創造促成銷售的動機。

6. **將目標客戶加以分類**：Top業務員先瞭解以下各項，再將目標客戶做適當的分類。

(1) 目標客戶的財力。

(2) 客戶對產品或服務的需求程度。

(3) 購買的意願。

未將目標客戶分類而企圖銷售，是「無法成交」的首要原因。

7. **消除目標客戶的抗拒心理**：使客戶接受，才可能成交。Top業務員會先打開目標客戶的心，引發對產品或服務的欲望，才設法結束交易。

8. **成交**：Top業務員能夠在最適當的時機結束解說，促成交易。讓目標客戶認為是自己主動購買。

9. **表現自己**：Top業務員同時也是超級演員，能夠進入目標客戶的內心。誠實地解說，加上豐富的表情，激發對方高度的興趣與想像力。

10.**自我控制**：Top業務員會控制自己的頭腦和內心，他知道，如果無法掌握自己，就難以掌握目標客戶。

11.**發自內心**：不論你從事何種工作，每天都有機會在正常的工作之外，為別人提供某種服務，而不期待任何金錢的報酬。培養你自動自發的進取精神，能使你成為同業中的佼佼者。只為錢工作的人，除了金錢將一無所獲，不論有多少薪水，永遠得不償失。金錢是必需的，但是，人生不能只用金錢衡量，再多錢也無法取代快樂與內心的平靜。

Top業務員瞭解發自內心的可貴，不需要別人告訴他做什麼或怎麼做，運用想像力規劃，付諸行動，不需要別人監督。

12.**容忍**：Top業務員有開放的心，能容忍所有的事物，他知道那是成長的必要條件。

13.**確實的思考**：Top業務員用心思考，收集資訊作為思考的根據，不作無謂的臆測，不隨意對不瞭解的事情發表意見。

14.**耐心**：Top業務員不怕被客戶拒絕，不承認「不可能」。對他而言，所有的事情都可以做得到。他認為「不」只是真誠解說的開始。所有的客戶都有抗拒心理，因為他瞭解這一點，就不會受到負面的影響。

15.**信心**：Top業務員對以下各項有絕對的信心：

(1) 自己。

(2) 他所推銷的東西。

(3) 目標客戶。

(4) 完成交易。

他不會嘗試沒有信心的交易。信心會散播，傳達到目標客戶的「接收頻道」，積極影響他購買的決定，信心可以移山，也可以促成交易。

16.觀察的習慣：Top業務員觀察敏銳入微，目標客戶所說的每一句話，臉部表情的改變，一舉一動，都被他所觀察及評估分析。

17.習慣提供超出對方預期的服務：Top業務員對目標客戶提供質與量都超出對方預期的服務，獲利也隨著回報法則增加。

18.從失敗及錯誤中獲益：Top業務員由每一次失敗中，加上觀察別人的錯誤和失敗，加以分析，找出成功的契機。

19.結合別人的力量，讓成功的力量加倍：兩個人以上同心協力，互助合作，為一個明確的目標努力。

20.明確的目標：Top業務員隨時會有一個目標業績。除此之外，更有明確的完成期限。

21.黃金法則：Top業務員以黃金法則作為所有交易的基礎，設身處地為對方著想。

22.熱誠：Top業務員充滿熱誠，激發目標客戶同樣的信心，積極影響其購買決定。

23.良好的記憶力：準確、過目不忘的記憶可以經由訓練得來。

(1) 記憶。

(2) 用一種以上的感官接收某種印象，以邏輯的方式記錄，這種過程就像用底片記錄影像。

(3) 回憶。記錄在潛意識中的印象恢復到意識中。就像使用紀錄卡，抽出一張卡片，所有的資訊都會被找出來。

(4) 辨識。喚回到意識層時，辨識重複及原始的記憶。這種過程使我們分辨「記憶」與「想像」不同。

24.謙卑：許多人認為謙卑是消極的美德，其實不然。謙卑是一種力量，所有偉大的進步——心靈的、文化的、科技的，都緣於此。謙卑是達到個人成功不可或缺的要件，不論你的目標為何，在到達成功的頂峰時，會覺得這點更重要。謙卑使你獲得智慧，智者最重要的特質是能夠說：「我可能有錯。」謙卑才能使你由挫折中「找出成功的契機」。所以，謙卑是積極的力量，無遠弗屆。

25.相信成功：成功屬於深信自己會成功的人。他們深信一項事實：只要意志堅定，沒有做不到的事情。如果你有尚未實現的願望，每天至少重複一次這句話，幫助你實現最偉大的願望。

26.決心：猶疑不決是業務員最大的弱點。每個推銷員經常都會聽到客戶的拖延策略：「我再考慮。」你必須幫客戶做決定。

Wonderful markering
in simple stories.

Chapter 2
與客戶輕鬆有效地溝通

「會說話的人，同時也是會聆聽的人」這是千古不變的定律，在銷售活動中，讓客戶發言，可以從說話中窺探出客戶的想法和關心的事情；如果只是自己一味地滔滔不絕，完全沒有讓對方表達意見的話，對方會愈聽愈煩，最終會說「謝謝！再聯絡！」下次你就根本沒有機會能再跟他說得上話。

1.隨機應變的說話術

從前有位小徒弟跟著鐵匠師傅學藝，幾個月的學藝生活後，終於可以獨當一面了。第一個月，小徒弟打造了四把斧頭，自己十分滿意，可是顧客卻不滿意。

第一位顧客是個中年農夫，他抱怨這把斧頭太沉重了。小徒弟無言以對。

師傅就對這名農夫說：「您身體強壯，斧頭大點才相稱！」於是農夫高興地付了錢。

第二位顧客是個屠夫，他不滿意地說：「斧頭太小，砍骨頭恐怕不夠力？」

小徒弟心想可能是自己技術還不純熟，羞愧地低下了頭。師傅這時對屠夫說：「您的臂力大，這把斧頭肯定能用，太大了手臂反而容易發酸。」屠夫連連點頭。

一位年輕的樵夫一進來就問：「怎麼用了這麼長的時間打造？」

小徒弟臉憋得紅紅的。師傅連忙笑著說：「慢工出細活嘛！這斧頭包管您一天砍一大堆木材！」最後樵夫也滿意地走了。

小徒弟心想，再有人抱怨，我自己就能應付了。一會兒，一位老人走進來，皺著眉頭說：「這麼快就做好了？會不會是偷工減料，打得不到火候吧！」

小徒弟哭笑不得，一臉窘迫，這時師傅上前解釋說：「怎麼這樣說呢，我們是怕您等急了傷身體啊，我這徒弟可是連夜趕工打出來的，品質絕對沒問題！」老人一聽，這才樂得眉開眼笑。

行銷基本功

如果不是師傅打圓場，這四樁生意恐怕全都會泡湯。可見，學習真本事要老老實實，做生意要隨機應變。在客戶矛盾的心理狀態下，如果能抓住對方最敏感的那根心弦，只要輕輕一撥，稍微變通一下，對方就較能接受你所提供的意見或想法。這就是所謂的「臨場反應」。行銷者的臨場反應力愈佳，愈能在窘境當中突破現況，達到理想的成績。

2.善用讚美

小芳是一位服飾店的老闆。雖然店鋪位置不是最好的，但她的生意卻是應接不暇。

小芳是個個子嬌小、活潑、親切、友善的女孩，是那種讓人一見就喜歡的人。一天，一對年輕夫婦到她的店裡看衣服，小芳連忙熱情招呼。

小芳說：「小姐，這是一件漂亮的大衣，我確定您一看到它，就會有一種想要擁有的渴望。」

那位小姐說：「的確如此，只是太貴了。」

「我想，您大概只看到價格標籤，您還應該看看這個。」小芳打開商品，「看看這個艾略特標籤，當您看到它，還有我們的聲譽，您就擁有了品味與愉快的心情。這件大衣會陪您很長的時間，它既漂亮又實用。來，您試穿一下，我想您一穿上它，就會捨不得脫下。」

等那位小姐試穿完後，小芳說：「怎麼樣，感覺很好吧？」小姐回答說：「感覺是很好，只是價格太貴。」

「也許，您可以這樣想想，把這個價格除以五，因為這件大衣您至少可以穿五年。而且當您參加同學的婚禮或某個重要的宴會時，穿著這件品味出色的大衣一定會令您增色不少。同時，迷人穿著也會讓您先生開心不少。」說完，小芳看看那位小姐，又看看那位先生，說：「小姐，您真幸運，有許多太太到這兒都看上這件大衣，但卻不是每個人都適合這件衣服，不過您的氣質與品味真的和這件大衣滿配的。」

她的一席話說得這對年輕夫婦心花怒放，最後決定買下這件價值不菲的大衣。

行銷基本功

每個人都希望得到別人的讚美和誇獎，這是人之常情，任何人都不例外。所以，在銷售過程中，行銷者應該適時採取這種策略，不妨多誇獎、讚美別人，使客戶心花怒放，就能在不知不覺中將商品成功推銷出去。

3.用數字說服人

美國肯德基炸雞店決定進軍大陸市場之前，曾先後派過兩位執行董事到北京考察市場。

第一位考察者下了飛機，來到北京街頭，他看到川流不息的人群，就回去報告說大陸市場大有潛力，但卻被總公司以不稱職為由，降級調職。

接著公司又派了第二位考察者。

這位先生用了幾天的時間在北京幾個不同的街道上計算行人的流量，然後又向五百位不同年齡、職業的人進行問卷調查，徵求他們對炸雞味道、價格與店面設計等意見。

不僅如此，他還同時對北京的雞源、油、鹽、菜及雞飼料進行調查，並將樣品、數據等帶回美國逐一做了分析，經電腦彙整，打出一份報告表，進而得出肯德基打入北京市場有龐大競爭力的結論。

果然，北京肯德基炸雞店開張不到一年，營收就高達二百五十萬元。原計畫五年才能回收的成本，不到兩年就回收了。

行銷基本功

這是一個成功的市場調查範例。一些制式的語言並不會有多大的說服力，也無法精準顯示出市場的導向。數字語言本身雖然沒有什麼情感色彩，但往往能反映一些本質的東西。因此，我們在準備開拓一個新市場前，應當善用具體的數字，來支持自己的調查結論。

4.順著客戶的喜好

有位商人想買一幅畫作為朋友的生日禮物，於是走進了一家畫廊。

「我想要一幅最有氣質、最有深度的畫，準備送給朋友當作賀禮。」商人說。

老闆端詳著眼前這位衣著整齊、文質彬彬的人，說道：「牡丹代表大富大貴，意義又簡單明瞭，不妨送他一幅牡丹的畫作吧！」

商人點了點頭，就買了一幅牡丹圖回去。

商人出席了朋友的生日聚會，並當場將購買的那幅牡丹圖展示出來，所有的人看了，無不讚嘆這幅活靈活現的畫作。正當商人沉浸在自己送的賀禮最有氣質、最有品味時，忽然有人驚訝地說：「嘿！你們看，這真是太沒誠意了，這幅牡丹圖最上面的那朵花，竟然沒有畫完整，這不就表示『富貴不全』嗎？」

此時在場的所有貴賓都發現了，大家覺得牡丹花沒有畫全，的確有種「富貴不全」的缺憾。

但全場中最難過的莫過於這位商人了，只怪當初自己沒有好好檢查這幅畫，原本的一番好意，反而在眾人面前出了糗，而且又不能改變這個事實。

這時候，主人站出來說話了，他深深地感謝這位商人。大家頓時覺得莫名其妙，送了一幅這麼糟糕的畫，怎麼還要道謝？

主人說：「各位都看到了，最上面這朵牡丹花沒有畫完該有的邊緣，因為牡丹代表富貴，而富貴卻是『無邊』的，所以他是在祝賀我『富貴無邊』啊！」

真是太妙了！眾人聽了無不覺得很有道理，還全體鼓掌深表認同，認為這真是一幅非常具有深意且完美無比的畫作。

商人是在場的賓客中唯一感受到兩種不同處境的人，他十分佩服這位主人的智慧。

他知道，即使再有能力的畫家，也難免會有失誤，就看自己如何不受外人的影響，來解釋這樣的不圓滿了。

行銷基本功

任何事物從不同的角度去理解，就會有不同的涵義。商品也是如此，任何商品都不可能是完美的，因此不同的客戶對不完美的商品，有不同的理解和感受，這是正常的。但這些並不足以影響你的行銷效果，關鍵是要順著客戶的喜好，給他一個滿意的解釋。

5.挖掘客戶的潛在購買欲

在情人節的前幾天，一位推銷員正在推銷化妝品，他當時並未意識到再過兩天就是情人節。

當他到客戶家拜訪時，男主人出來接待他，推銷員於是鼓吹男主人幫夫人買組化妝品，男主人似乎對此很感興趣，但就是沒說買或不買。

忽然，推銷員在無意中看見不遠處的花店，門口有一招牌：「送給情人的禮物──紅玫瑰」。這位推銷員靈機一動，說道：「先生，情人節馬上就要到了，不知您是否幫您太太買禮物了嗎？我想，如果您送這套化妝品給太太的話，她一定會非常高興的，您看我們這組化妝品是用最新科技去做的，有美白、防皺、去斑的效果……。」

這位先生聽了眼睛馬上為之一亮。

推銷員又抓住時機說：「每位先生都希望自己的太太是最漂亮的，我想您也不例外。」

果然，那位先生笑了，問他多少錢。

「禮物是不計較價錢的。」

於是一套昂貴的化妝品就這樣推銷出去了。後來這位推銷員如法泡製，又賣出了數套化妝品。

行銷基本功

挖掘客戶的潛在購買慾，是推銷成功的另一項重要秘訣。行銷者應善用各種有利於產品的時機、節日，適時地對潛在客戶不斷地給予適當的提示，再導正到自己的產品特色上，好好遊說一番，如此一來，就能激發出他們的購買欲望，進而達到成功推銷的目的。

6.找對可能購買的人

麥克是一家兒童用品公司的業務員，主要工作是推銷一種新型鋁製的輕便嬰兒車。

一天，他走進一家商場的商品部，發現這是他所見過的最大一個營業部，經營規模相當可觀，各種類型的嬰兒用車可說是一應俱全。

他覺得這將是一個很大的潛在客戶，便懷著興奮的心情打聽到商場負責人的名字。為了進一步發展，他又向女店員打聽負責人的辦公地點，女店員毫不猶豫地指出經理的辦公室所在。

當他踏進辦公室時，經理毫不客氣地問：「喂，你是誰？我從來沒有見過你，找我有什麼事？」

麥克卻一句話也不說，就把自己的輕便嬰兒車遞給了他。

經理於是接著問價格，麥克就把預先備妥內容的詳細價目表放在經理面前。

經理把嬰兒車前前後後地研究了一番後，對麥克說：「給我來六十輛，全部都要藍色的。」

麥克問道：「難道您不想聽聽產品介紹嗎？」

經理答道：「這件產品和價目表已經告訴我所有想要瞭解的情況，這正是我所喜歡的購買模式。我做生意向來不喜歡太囉嗦，和你做生意，實在痛快！」

行銷基本功

「產品接近法」，也叫實物接近法，是指業務員利用直接推銷產品吸引客戶的興趣，進而轉入面談的接近方法。這是讓產品先接近客戶，讓產品做無聲的介紹，使產品默默地推銷自己，這是產品接近法的最大優點，也是讓客戶最放心的一種推銷方法。

7.為你的客戶建立信心

一九七〇年，韓國巨富鄭周永投資創建「蔚山造船廠」，要造一百萬公噸級的超大型油輪。對造船業來說，鄭周永算是一個完完全全的門外漢，但他卻信心滿滿。

他認為：「造船，和造發電廠一樣，總是從不會到會、從陌生到熟悉，沒有什麼了不起的！」

不久，他就籌集了足夠的資金，等著客戶來訂貨了。

但訂單可沒那麼容易拿到，因為當時外商們都不相信韓國的企業有造大船的能力。這該怎麼辦呢？鄭周永為此苦思冥想，終於想出了一個方法。

他從一堆發黃的舊鈔中，挑出一張五百元的紙幣，紙幣上印有十五世紀朝鮮民族英雄李舜臣發明的龜甲船，其狀極易使人想起現代的油輪。而實際上，龜甲船是古代的一種運兵船，李舜臣就是運用這種船大敗日本人，粉碎了豐臣秀吉的侵略。

鄭周永隨即身揣這張舊鈔，四處遊說，宣稱朝鮮在四百多年前就已具備了造船的能力，而現在更是完全能夠勝任建造現代化大油輪的能力。經他這麼一遊說，外商果然信以為真，很快就發出了兩張各為二十六萬公噸級油輪的訂單。

訂單到手後，鄭周永立即率領員工日夜不停地辛勤趕工。兩年過後，兩艘油輪建造完成，而蔚山造船廠也正式建成。

行銷基本功

如何說服別人，是行銷者的一大難題，而恰當的比喻、生動的舉例是最能說服人的。要讓別人相信的最有力武器，莫過於提出能夠證明自己實力的證據。若想成為一名聰明的推銷員，就要儘快為自己的實力找到可供證明的任何證據，並且充分地運用在產品的推銷上。

8.讓客戶心服口服

百貨公司的櫃檯前站著一個要求退貨的顧客，態度非常堅決。

「這件外套買回去後，我丈夫不喜歡它的顏色，覺得款式也很普通，我想還是退掉好了，我可不想讓他不高興！」女顧客悻悻地說。

「可是上面的商標都已經脫落了。」

售貨員在檢查退回的外套時不僅發現上面的商標已有磨損，而且外套上還有明顯乾洗過的痕跡。

「哦！我記得當時買走時好像就沒有……。我保證這件外套絕對沒有穿過，因為我丈夫一見到它就說難看，之後我就再也沒有碰過它，直到今天才送來！」女顧客依然堅持要求退貨。

看著上面乾洗過的痕跡，售貨員隨機應變地說：「是嗎？您看會不會是這樣，是不是您的家人在乾洗衣服時把衣服拿錯了？您看，這件衣服確實有乾洗過的痕跡。」

售貨員把衣服攤開給顧客看：「這衣服本來就是深色，髒不髒很難看出來，說不定是誤拿了，我家也有過一次這樣的情況。」說完，售貨員溫和地笑了。

顧客一看，只好也跟著笑了，說道：「啊！一定是我家的傭人送錯了，真是不好意思！」

行銷基本功

機靈的售貨員用迂迴的方法，不僅順利解決了問題，而且讓顧客心服口服，進而達到「曲徑通幽」的效果。因此，行銷需要善用迂迴之術，不能先入為主、開門見山、單刀直入，最好的辦法是「三思而後言，心態放平和。」如此才能和顧客廣結善緣，平和地處理任何突發狀況。

9.善於說「不」

一名房地產商人手頭有一棟大樓要出租，此消息一傳出，立即吸引了兩家實力雄厚大公司的興趣。大家都想租到地段良好、交通便利、裝潢講究的大樓。

兩家公司的負責人事先都給商人打了聲招呼，而且A公司願意租下全部的十層，價格要比B公司高出三分之一。商人想了想，對他的律師說：「幫我打電話告訴A公司和B公司，就說我們只能下次合作了……。」

律師好奇地問：「你為什麼不把大樓租給A公司呢？還有誰會出這麼高的價錢呢？」

商人神秘地笑說：「你只管照我的話做就是了！」

接到律師的電話後，兩位經理都強烈要求與房地產商人見面，於是三個人在屋子裡悶坐了幾個小時，最後兩位經理相互妥協，達成一致協議：願意以原來價格的兩倍，各自租下大樓的一半。此舉果然奏效，房地產商人一下子就多賺了兩倍。

律師知道後，瞪著雙眼問：「我的天啊！你是怎麼說服這兩個人的！他們出的價錢是原來的兩倍，但卻只租到一半的空間！這真是太不可思議了！」

商人笑著說：「我什麼都沒做，只是告訴他們『不』，我不能只把大樓租給其中一人，這讓我很為難！剩下的就是他們在幫我談判！」

行銷基本功

商人的一個「不」字，讓他多賺了兩倍的錢。在行銷過程中，不要為了自己的面子，更不要為了別人的情面而羞於說「不」。有技巧地說「不」，不僅不會刺傷對方，有時反而有助於生意的成功。而說「不」的時機，就在於自己已經掌握了「拒絕」的主控權。

10. 找出客戶看不到的優點

博洲想買一間房子，剛開始，一家房地產公司的業務員介紹他看了很多房子，但就是沒有一間中意的。

第二天，另一家房地產公司的業務員陪他看了另一處地方，他認為房子很不錯，只是和前一天看的房子一樣，有著同樣的問題。於是，他提出一些昨天也曾向業務員請教過的相同問題。出乎意料之外，這位業務員回答得相當巧妙。

「沒錯，這棟房子不在市區。但是，您看，這兒依山傍水，風景不是很棒嗎？在今天這個寸土寸金的社會裡，要想找個沒有人車喧囂的環境還真困難呢！住在這裡，週末全家還可以一起到附近散步，不是很愜意嗎？」

「沒錯，這裡是離車站遠了點，可是騎機車不過幾十分鐘。如果您每天花幾十分鐘的車程到車站，下班後再騎回來，既不用怕塞車的問題，也不用煩惱車子沒地方停，這不是很好嗎？」

這名業務員對博洲所提出的問題都能給予適當、積極地回應，令他十分滿意，於是開心地和該業務員達成了交易。

行銷基本功

由於房地產是永久資產，客戶必然會謹慎地選擇，於是業務員的解說方式與說服技巧，就成了交易成功與否的關鍵因素。業務員在銷售過程中所扮演的是「交涉專家」的角色，因為他們必須經常發現並創造機會，促成人與人之間的相互接觸，但要能達到說服對方，則必須依靠業務員本身的誠意與良好的言語表達。

11.誠實才是最好的賣點

威廉是一位不動產的推銷員，負責推銷一塊地。這塊地約有八十畝，靠近火車站，交通很方便；可是，附近有一家鋼鐵加工廠，打鐵及研磨機的聲音十分嘈雜。

威廉想將這塊地推薦給史蒂芬，他住在鬧區裡，一天二十四小時生活在噪音中。威廉的理由是，這塊地的價格、地點和史蒂芬的要求吻合，而且，史蒂芬對於噪音已經習慣，大概不會太在乎這一點。

威廉介紹這塊地給史蒂芬時說：「史蒂芬先生，這塊地的價錢比較便宜些。當然，便宜有便宜的理由，原因就是會受到鄰近工廠噪音的干擾，但其他條件都與您要求的大致相同。」

不久，史蒂芬決定買下這塊地。

他說：「你特別提到噪音，其實，噪音對我是不成問題的。我現在住的地方經常會聽到大貨車的引擎聲，聲音大得可以震動門窗；而且這家鋼鐵加工廠下午五點就關門了，所以對我來說更不成問題。許多推銷員介紹這塊地時都不講缺點，像你這樣清楚地說出缺點，我反而放心些，很好，我決定跟你買了！」

行銷基本功

許多業務員向客戶介紹產品時，都恨不得把產品說得極其完美的。其實，很多客戶已經不再只聽業務員的一面之詞，而會透過私底下的考察、評量後才來做決定。所以業務員應該「以誠為上」，商品的優點和缺點都應向客戶說清楚，這樣不僅能在客戶心中留下好印象，也會使客戶對你所推銷的產品產生信賴。

12.瞭解客戶想要的

一套遊戲軟體的業務員對客戶說：「您的孩子快上國小了吧？」客戶愣了一下說：「對呀。」

業務員繼續說：「孩子在國小階段是最需要開發智力的時候。我這裡有一些遊戲軟體，對您孩子的智力提升非常有效。我想，您一定希望孩子的智力超人一等吧！」

客戶：「我兒子不需要什麼遊戲軟體，都快上國小了，誰還玩這些東西，你難道沒聽過『玩物喪志』嗎？」

業務員：「我們推出的這個遊戲軟體是專為國小學生設計的，它是把數學、英語綜合在一起的智力遊戲，絕不是一般的遊戲軟體；而且，它的主要目的是在提升遊戲者的數學和英語能力。」

客戶開始猶豫了。業務員接著說：「現在是一個知識爆炸的時代，不再像過去那樣光從書本上學習知識，現代的知識需要透過現代的模式學習。事實上，遊戲軟體已經成為孩子重要的學習工具。」接著，推銷員從包包裡取出一個遊戲軟體遞給客戶：「這就是我說的遊戲軟體。不

如讓我們一起來看看內容。」果然，客戶被吸引住了。

業務員又說：「現在的孩子真好命，一生下來就處在一個良好的環境中，家長為了孩子的全面發展，往往在所不惜。我今天拜訪了幾個家長，他們都買了這種遊戲軟體。因為凡是有助於孩子學習的，家長都會很樂意，還要求我一有新的產品就要告訴他們。」

最後，這名客戶心甘情願地買了這個遊戲軟體。

行銷基本功

成功的業務員非常清楚客戶心中想要的是什麼，也會將自己商品中的某些特色完美詮釋成客戶所想要的東西，這就是一種說服的技巧。當我們和客戶進行面對面銷售時，要先充分瞭解自己產品的功效，然後深入瞭解客戶的需求，從中找到相通的地方。通常客戶只買自己想要的東西，但他如果是在你的說服下認為自己需要這個產品時，你就成功了。

13.激發消費的欲望

靜香是一位賣靈骨塔的業務員。一天，她去拜訪一對退休在家的老夫婦。這對老夫婦身體健康，無病無痛，根本沒想過自己身後的事。

當靜香一說起靈骨塔的事，兩老就直搖頭，沒好氣地說：「說這些幹嘛，真不吉利，我們現在根本不需要。」

靜香說：「這個靈骨塔的位置是本地環境最優美的地方之一，有高山、流水、樹林、陽光，風水非常好。」

有許多三、四十歲的中年人都買了。您們兩位辛苦了一輩子，為兒女操勞了一輩子，我相信您們一定希望百年之後有一處棲身之所，而這就是您們最好的歸宿和選擇；再加上，目前靈骨塔價格低廉，非常暢銷，公司決定從後天起暫停優惠促銷，並在現價的基礎上漲價二成，目前所剩的塔位也不多了，機會真的很難得，希望您們不要錯過。」

兩位老人只是聽著，臉色凝重，一言不發。

靜香又說：「我們公司還推出了一個方案，就是『天長地久，永不分離！』我想這是許多恩愛夫妻的願望。生在一起，死也要在一起，而且這樣還可享有八折優惠。更何況，現在也有很多上了年紀的人，都希望能先將自己的身後事處理好，一來不用讓晚輩們操心，也不用擔心會不會因為家產問題處理不當，而使自己無法入土；二來更可以依自己喜歡的方式處理，選擇跟心愛的另一半再續前緣，這樣不是很好嗎？」

說著說著，兩位老人心動了，於是他們一次買了兩個相鄰的塔位。

行銷基本功

很多時候人們習慣於舊有的觀念，以至於不能適時地認知、理解問題和接受新觀念。案例中的推銷員，正是著眼在發現這一問題的基礎上，合情合理地引導和說服老夫妻，使其瞭解產品的內容與意義，更進一步挖掘出他們潛在的購買欲。

14.沉得住氣的效果

一家工廠因近來生意清淡，老闆想改行，於是打算變賣舊機器。他心想：「這些機器磨損得很厲害了，能賣多少就算多少吧，能賣到四十萬元最好了，如果別人殺價殺得狠，三十萬元也咬牙賣了。」

過了一段時間後，終於來了一位買主，他看完機器後，挑三撿四地說了一大堆，從剝落的油漆說到舊機器性能很差、再到緩慢的速度，幾乎沒有停過。

工廠老闆心想這是殺價的前奏，於是耐著性子聽對方滔滔不絕的抱怨。

買主終於停止抱怨：「說實話，我不想買，但如果你的價格合理，我可以考慮考慮，你說個最低價吧！」

工廠老闆沉默地想著：「是要忍痛賣了？還是不賣？」

就在沉默的那三秒鐘，他聽到了這些話：「不管你想怎麼談價錢，我先說明，我最多只能付你六十萬，這是我的底線。」

結果可想而知，因為沉默的那三秒鐘，竟讓工廠老闆多賺了幾十萬元。

行銷基本功

行銷過程中適時、適度地運用沉默的模式，有時反而會收到意想不到的效果。正因如此，許多行銷高手常常會運用「沉默」的策略來進行銷售，一方面可讓自己有更多思考及喘息的時間，二方面可以製造一些假性的拒絕，讓對方先說出底價，如此一來，自己的勝算也就更多了！

15.適時沉默

有一次，法蘭克和另一位推銷員去見法蘭西斯·奧尼爾先生。奧尼爾先生的話不多，但為人精練，早年從事紙張推銷，經過多年奮鬥成為紙張批發商，後來又開辦造紙廠，成為紙張生產與批發業中的頭號人物，備受同業尊重。

彼此寒暄幾句後，就進入正題。一開始，法蘭克向奧尼爾先生講解他所擁有的產業與稅收之間的關係，但是奧尼爾先生始終低著頭，看也不看法蘭克一眼。

法蘭克無從知曉他臉上的表情，連他是否在聽也不是很確定，這種情況令法蘭克很難堪。於是，他只講了三分鐘便停了下來，靠在椅背上等著，接下來就是尷尬的沉默。

這種情況讓法蘭克的同事如坐針氈，難以忍受沉重的靜默。他擔心法蘭克會失敗，便想急於打破僵局。當他正準備說話時，看見法蘭克在搖頭，便明白了法蘭克的意思，不再往下說。

於是這樣尷尬的沉默又持續了一分鐘。那位一直埋頭苦幹的總裁終於抬起了頭，法蘭克沒理他，只是悠然地靠在椅背上等他開口。

彼此對視，良久無語。法蘭克知道自己必須沉住氣，只要等的時間夠長，對方總要先打破僵局。

奧尼爾先生終於開口了，他平日並不善於言談，這次卻說了足足半個小時。他說的時候，法蘭克就只是聽，一句話也不講。

等他說完了，法蘭克說：「奧尼爾先生，您說的話對我很有幫助。您告訴我這樣一個事實，您比大多數人都有思想。最初，我來的目的是想幫您這位成功人士解決問題，透過與您的交談，我明白您已花了兩年時間來設法解決這一個問題。儘管如此，我還是很樂意花些時間提供您更好的解決方案。我下次來時，一定會帶來一些新的想法。」奧尼爾先生笑而不答。

此次見面的開場雖不甚理想，但結尾卻令人滿意。

行銷基本功

沉默技巧是推銷業廣為人知的規則，一旦你提出了讓客戶訂貨的要求，就應當閉上嘴，儘量保持沉默，等待客戶回答。法蘭克取得成功的原因很簡單，就是善於傾聽，保持沉默，對整個事情有了全面地瞭解後，也就能清楚明白客戶的需求，自然能「有的放矢」，獲得最後的成功。

一、談論興趣法

交談時，必定是因某一共同點而使雙方的談話能夠持續。換句話說，交談的雙方應有共同的話題，甚至恰巧雙方有相同的興趣。

言語交流所涉及的話題，應該是雙方都感興趣的，但是除了興趣一致之外，話題也要具備多變的特質。

拜訪客戶時最忌一直推銷，若未能與客戶做良好的互動，再長久的對談，也無法成功地取得訂單。要如何與客戶有良好的互動，當然這就是事前的準備工作。在拜訪客戶之前，一定得先瞭解客戶喜歡什麼、不喜歡什麼、興趣在哪兒？……等等。但也不一定剛好客戶的興趣與自己相同，所以就得培養自己多方面的興趣，這樣在與客戶訪談時，也容易話題相投，而使客戶對自己放下戒心。

只要雙方都感到興趣（即使有爭論也如此），一般而言，談話就會表現出生動活潑、相互溝通的特點，並使對話正常發展下去，進而能在互利的前提下實現你預定的目標。

不過，即使談到自己最感興趣的話題，還是要尊重對方，不可任意打斷或轉移話題；此外，也要注意不要壟斷話題，雖然你可以適當地轉移話題，但始終都要記得保持在雙方都感興趣的焦點上，並注意對方是否接受你所轉換的話題，以及話題是否轉換得太過刻意，反而給對方不愉快的感覺。這些都會影響交談的有效性，讓你當下就從一個能言善道者變成不受歡迎的人。

二、第一句話攻略法

在推銷中，最常見的方法莫過於登門拜訪。當你第一次敲響陌生客戶的大門時，你曾想過如何開啟這個開場白呢？

如果沒有認真想過，你一定不是個好的業務員。

「先生，您需要……嗎？」這是最常見的開場白，也是最錯誤的說話方式，因為這麼唐突而明確的問句，十之八九會遭到拒絕；特別是當人們還不熟悉，也不習慣上門推銷這種方式時。

當你找到了一個值得推銷的潛在客戶，想登門造訪時，最簡單的辦法就是跟對方說：「某某先生，我是來推銷鈔票，你有任何需要嗎？」

有一天尼克到別的縣市出差，打算回程的時候，發現時間已經很晚了，他想如果這個時候回到辦公室，恐怕公司的人也都下班了。

這時他靈機一動，「為什麼不順道拜訪一下大發公司的總經理呢？也許可以向他推銷一份年金保險呢！」由於大發公司就在附近不遠，所以尼克決定直接登門拜訪。

到達大發公司以後，門口的總機小姐抬起頭來問他：「先生，有何貴幹？」

「我叫尼克，想拜訪貴公司總經理鐘斯先生。」尼克很客氣地說。

「尼克先生，那麼你是做哪一行生意？」她緊追不捨地問。

問到這個問題的時候，尼克實在很想跟她說：「這些都與妳無關，只管進去通報就是啦。」但他還是很有禮貌地說：「小姐，我是推銷鈔票的，請告訴鐘斯先生，我是來推銷鈔票的。」說完這句話，尼克就不再理她。這位總機小姐看看尼克，眼中流露出不肖的神情，但還是進去向總經理報告，尼克聽到她很清楚地說：「有位尼克先生要見你，他說是來推銷鈔票的。」

然後她轉身跟尼克說：「你可以進去了。」

每個推銷員在第一次訪問時，對於該談些什麼話題都會感到非常棘手，即使再老練的推銷員，也很少有人認為自己對這個問題非常有把握；尤其是和從未謀面的人談話時，更是緊張。但是這個問題若不解決，就很難進入商談的主題。而且這是推銷非常重要的一步，每位推銷員都需非常慎重地處理這個問題。

走進初次拜訪的客戶家大門時，看見女主人的身材非常健美，就可以以此為話題：「對不起，冒昧請教妳平常都做什麼運動呢？妳一定是天天都跳韻律舞吧！」

雖然這種講話口氣，對初次謀面的人稍顯唐突，但是卻可使人留下相當深刻的印象。經驗豐富的推銷員懂得如何來控制場面，所以可以大膽地運用這樣的方法。經驗較少的推銷員就不同了，他一定不敢對初次謀面的客戶採取這樣的談話方式。

開場白愈直截了當愈好，儘量簡潔一點，效果更佳。

對業務員來說，再也沒有比吃閉門羹更叫人難受的事了。目標中的客戶就在眼前，但想表達的話，卻因對方的拒絕而無法傳達，更別提目標任務的達成。但站在客戶的立場著想，也不能完全怪他們，可能因為其他要事的緣故，也可能是其他種種因素，使得他們不僅不願與業務員交談，而且如果要一一應付所有來意不明的業務員的話，實在是分身乏術！

對於來意不明的陌生人，一般人都會有防備心，何況是得花時間與之交談的業務員。所以，叩關的第一步，是每位業務員應花心思去揣摩和學習的。舉例來說，一般銀行的銷售訓練是這樣的：在拜訪客戶時，一定先大聲說：「早安，我是××銀行的×××，鄭先生，您早！」不管是拜訪往來的客戶，或是不曾往來的客戶，你都應該先主動告知自己的身分，並清楚道出來意，以消除客戶的戒心。如果以模糊不清的聲調打招呼，即使是負有盛名且信譽良好的銀行所派出的業務員，客戶也會質疑你的來歷。我們可以從分析客戶的心理得到論證，以適度明朗宏量的聲調，報上自己姓名的業務員，很少會讓客戶起戒心。此外，禮貌且適當的稱謂，不僅親切也使人從心底對你感到放心。

所以，在拜訪活動中，不論對象是家庭或公司行號，都必須儘量以明朗清晰的聲調和大小適度的音量，大方地向客戶打招呼。因為包括業務員在內，每個人的情緒難免都有不穩定的時候，此時聲音通常會顯得沉悶而了無生氣。但如果以這種心情去工作，一定成效不佳，所以應該振奮精神，設法以開朗有朝氣的聲調與客戶打招呼。如此一來，不管是炎炎夏日或陰沉的下雨天，你精神飽滿的招呼方式，明朗端正的態度，都會使客戶樂意與你交談。

總之，開門見山，坦蕩磊落的態度及打招呼方式，是博取客戶良好印象的最佳武器。

三、明朗有力說話法

講話的方法可分為活力十足及陰沉死板兩種。業務員就是靠一張嘴吃飯，因此說話時的聲音、語調就顯得格外重要。和客戶說話時，如果語調活潑、清亮，那麼回應你的也會是清爽悅耳的聲音；反之，若死板板地在嘴裡咕噥著不知講些什麼，客戶回應你的聲音，必然也是模糊不清的。

舉個常見的例子說明。一早去拜訪客戶，到了客戶的家門外，若業務員輕聲細語、有氣無力地問：「有人在家嗎？」這樣客戶多半是聽不到的，如此一來，沒有了開始，自然也談不上工作的進行。如果用明快的聲音打招呼，則情況就會改觀。

事實顯示：客戶不喜歡跟聲調陰沉、沒有活力的業務員交談，因為遇上這種業務員，自己的心情也不會開朗；而對於開朗、活力充沛的業務員，他們則樂意撥出時間聆聽其介紹產品，由此可見，聲音的魅力能影響交談氣氛的好壞。雖然所銷售的是同一種產品，但若訪談者的語調、聲音不同，交談的結果自然也有所差異。

有些人也許認為聲音是天生的，無法改變，這種想法是消極且不正確的。只要有心想改，就絕對可以改變。方法很簡單，說話時留意將音調提高半階，音量自然變大；讓聲音儘量提高到對方能聽清楚的程度就對了。只要常常訓練，不退怯，即可輕易地達到你想要改善的目標。如果無法判斷自己的聲音是屬於哪一種，可聽聽上司或其他同事的意見，一旦發現有缺點，就該立即矯正。

四、善辯不如善聽

傳統的銷售理論會建議你做一個忠誠的傾聽者，在你跟客戶之間建立起信任與移情作用的橋梁。它告訴你如何做一場無懈可擊的演說，以及如何克服拒絕的心態。它鼓勵你找出客戶的需求，甚至於違背產品的特性來配合客戶需求。這些銷售技巧現在仍然有用且值得研究與使用。

業務員必須知道哪些資訊？一般而言，不外是商品資訊、相關客戶的資訊及業界資訊或其他相關資訊等等。但是，在銷售現場中最有影響力的資訊是什麼？

有時候，你會覺得商談已進行到最後關頭了，卻遲遲無法令客戶簽約，其關鍵就在於最後階段。因為你無法抓住客戶的心理或需求，所以最後仍無法衝破他的防線。「善辯不如善聽」，這句話對業務員來說是最好的座右銘。因為饒舌善辯的業務員多半抓不住客戶的心理，所以業務

員應儘量傾聽對方談話，時時注意客戶的喜好與需求，倘若對方有不瞭解的地方時，你再仔細分析，進行溝通，這樣才不會功敗垂成。

通常客戶在商談的每個階段，一定有許多想詢問的事，包括商品的性能、顏色、尺寸、花樣、價格、付款方式等等。你應在這每個階段將重點充分說明之後，再請求對方提出問題，並且好好留意對方最關心的重點，才不會變成沒有重心的銷售活動。

此外，當客戶說話時，常常把話搶過來說，並且高談闊論，心裡沾沾自喜地以為很順利，事實上客戶還有一大堆疑問沒有解惑，談到最後簽約階段時當然無法成功。所以，在銷售現場中，最重要的資訊就在於解答客戶所有的疑問，每次圓滿解答後，再引導出接下來的疑問，如此反覆不斷地進行，必定能達到簽約的目的。

在第一次接觸時，要瞭解客戶在想什麼？喜歡什麼？就要儘量讓他發言，如何讓他開口講話呢？業務員可以採取詢問法，當說明告一段落後，可以問：「所以，你覺得怎麼樣？」「我認為這套教材非常適合學齡兒童，不知他今年幾歲了？」有問題就會有回答，大部分客戶會說：「今年×歲，但是沒什麼錢呀！」從這些回答中，你可以瞭解客戶的心態。他雖然想要買，但是錢的問題仍然困擾著他。

既然知道了客戶的意願，那麼業務員就應再回到主題，強調商品的好處，以及他兒子與商品的關係，並且再度詢問客戶的反應，「錢的問題還好解決，只是不知道先生想不想買？」用這種詢問的辦法，就能夠抽絲剝繭地知道對方的問題癥結所在，針對這些問題癥結再展開訪談。

要讓客戶心滿意足，就應確切掌握客戶想法，再以此為重心，慢慢往前推進。不過，有些愛發表高論的客戶也是會講得口沫橫飛，使業務員失去主導權。千萬記住，不要被客戶的話誤導了，一定得由業務員本身掌握主導權，把話題拉回到商品上，再技巧性引導到買不買商品階段。但有些客戶只要把心中的話發洩出來以後，就再也不發表意見，不置可否地聽業務員所說的話，所以要視情況適當地向客戶採取這種詢問法。有些業務員在與客戶接觸後，馬上就進入自己的主題，完全不顧對方的反應，說個不停，使客戶一直沒有機會發表意見，這種情形對向來主動慣了的客戶來說，是相當難受的。

因此，業務員不僅要在說話方面下功夫，傾聽方面也必須研究，這就是行銷成功的要點。

五、幽默的加分作用

每個人都有自己的特長，也都有自己崇拜、欣賞或所愛的人。不過有一種個性卻是人人喜歡，能夠左右逢源的，那就是爽朗幽默。

人是一種矛盾的動物。一方面不堪忍受孤獨寂寞，要與他人交流溝通，具有群居性；另一方面卻又對陌生人存有一種戒心和恐懼感。所以，碰到陌生人的第一個反應便是關起心門，再慢慢觀察別人的動靜。如果這個陌生人表現出爽朗善意、幽默的談吐風度，對方便會慢慢瞭解到你並非「來者不善」，從而謹慎地打開心扉。

「考慮一下再說」是客戶經常使用的拒絕理由之一，話雖然說得很婉轉，但真正的想法可能是「我聽膩了你那一套說詞，我又不打算買，隨便敷衍一下，使一下緩兵之計。」

在這種情況下，業務員倘若認為目前時機尚未成熟，真的請客戶好好考慮一下，日後再來聽取佳音，就未免太過「古板」了！要處理這種狀況是有點棘手，因為客戶會說出這句話，多半是在業務員已經做了相當程度的說明後，就算勉強再運用其他拒絕語言處理，效果也不會很好。

這時如果懂得幽默，就不一樣了，幽默的人很容易打開別人的心扉，不僅容易打動異性的心，也容易打動客戶的心。所以幽默的個性能造就出情場高手，也能造就出商場高手。

業務員對客戶來說完全是陌生人，一開始並不被客戶瞭解。如果推銷員在訪問會談時隨時展現笑容，對人和藹可親、談吐風趣，對於推銷工作當然助益很大。

在推銷中，適當講些小笑話，能迅速降低客戶對推銷員的敵意，促使推銷成功。但是千萬不要過度，如果掌握不好，會給客戶留下輕浮、不可靠的印象。

讓我們看一下這位Top Sales是如何使用幽默的：「您好！我是某保險公司的×××。」

「喔——」

對方端詳他的名片好一陣子後，慢條斯理抬頭說：「兩三天前曾來過一個某某保險公司的業務員，他話還沒講完，就被我趕走了。我是不會投保的，我看你還是快走吧，以免浪費彼此時間。」

此人既乾脆又夠意思，他考慮真周到，還要替業務員節省時間。

「真謝謝您的關心，您聽完我的介紹之後，如果不滿意的話，我就當場切腹。無論如何，請您撥點時間給我吧！」

這位業務員一臉正經，甚至還裝著有點生氣的樣子。對方聽了忍不住哈哈大笑說：「哈哈哈，你真的要切腹嗎？」

「沒錯啊，就像這樣一刀刺下去……」

業務員一邊回答，一邊用手比劃。

「你等著瞧吧！我非要你切腹不可。」

「來啊！既然怕切腹，我非要用心介紹不可啦！」話說到此，業務員臉上的表情突然從「正經」變為「鬼臉」，於是，這名準客戶不由自主地也就笑了起來。

以上這個實例的重點，就在設法逗準客戶笑。只要你能夠創造出與準客戶一起笑的場面，就突破了第一道難關，拉近了彼此間的距離。

像這樣乾脆地接受客戶的藉口，再以幽默的口吻順著客戶的話題繼續述說，重點在於口氣輕快、幽默，不要正面和客戶爭辯，只要略微展現一下自己的心意即可。

六、溝通交談策略法

新客戶的第一次拜訪，為了避免被拒絕，促使自己與客戶有更進一步的交談機會，溝通時可運用如下六大溝通技巧：

1. **選對話題**：選對話題可以使彼此放鬆心情，侃侃而談；選錯話題則容易引起對方產生戒心或增加雙方的緊張情緒，這樣容易讓這段溝通因此中斷。溝通千萬不能只講求效率，而完全不顧及品質，技巧就在於「見人說人話，見鬼說鬼話」。

2. **拿出自己的真誠**：與人溝通時語態、神情、臉部表情、修辭聲調、肢體語言，都要表現出真誠的一面，唯有真心才可能感動對方，瓦解敵意，一定要做到「言必由衷」。這樣才能維持長期合作關係。

3. **態度一定要柔和**：古諺：「誠意感動天。」態度誠懇讓對方難以拒絕，是最好的推銷技巧。與客戶說話時常用「我非常希望」、「我誠心邀請你」、「我很樂意」、「我不斷在思考如何能與你合作」等語句。面對每一位客戶，一定要誠心誠意與對方互動，讓對方不好意思說「不」，就能達成一筆交易。

4. **勿表現急躁**：若你在與客戶溝通時，一直表現得很急躁，表示你急於締結，這樣會使對方產生壓力。除非已經與客戶討論很久，就差臨門一腳，否則表現急躁只會令你顯得更沒有自信，也無法取得客戶的信任。

5. **即使想法不同，也不能當場反駁：**溝通不能直接反駁對方或爭吵，要是對方覺得不愉快而翻臉，反而會導致反效果。成功的領導者對部屬提供的，是無限的支援與激勵，絕不在溝通中反駁他們。

6. **切勿盛氣凌人：**談判理論中的「馴鹿談判」典型，即是要給對方一個十分自主的空間，才不會讓對方因壓力而不安、逃逸或反擊。客戶要不要買，除了緣分之外，應彼此建立好感再建立信任關係，這遠比急於推銷商品或制度重要得多。所以溝通時，不要吝於付出時間，而表現得急躁或盛氣凌人，珍惜每一個客戶，就等於創造新的機會。如果對方還猶豫不決，也無須心急，把重點講完就可以結束話題，告個段落並客氣地請對方慎重考慮。「欲擒故縱」而不去逼他，對方反而會回過頭來；若是逼他，反而容易引起反彈，這就是一般人的心理。

七、隨機應變的好口才

隨機應變可以說是大商人的主要特質之一。說到底，做生意就是要尋求客戶最容易被打動的那根心弦，讓他們願意與你合作，心甘情願掏錢購買你的產品或服務。每個人身上總會有容易被打動和值得稱讚的地方，只要你的話能說到心坎裡，順應對方心理，就能擁有足夠的靈活變通餘地。

不同的客戶，有不同的心理需求。對年輕人來說，生意要「爽快」；中年人最看重的是「誠實」；迎合老年人的心理，最重要的就是「周全」；要博得孩子的歡心就要講究「逗樂」……。在客戶矛盾的心理狀態下，只要你掌握客戶最敏感的那根心弦，稍稍一撥，對方就會輕易地被你牽著走。

還要注意的一點是，絕對不要一口氣說出產品或服務的全部優點，因為那樣容易讓自己陷入被動。你要做的僅是根據客戶的不同需求，做必要的解釋和補充，消除或減輕他們的疑慮，繼而說服他們購買。當然，你也必須能自圓其說，否則別人肯定會認為你是為了銷售產品在說客套話。一旦你把「隨機應變」理解為「曲意逢迎」或者「坑蒙拐騙」，你的生意就要走下坡路。

圓融一點，就能贏得很多的商機。那些能言善變、機敏靈活的人在千變萬化之前總是保持著冷靜的姿態；而那些羞怯拘謹、老實的人雖然誠實，但常常弄得自己很尷尬。有時生意談不談得好，只是說法不同而已，變通一下，就能開闢出另一番天地。

當然，隨機應變並不是說你要犧牲誠實正直的品格。你所要尋求的是雙方面都認同的部分，而不是分歧所在，只有這樣你才能得到客戶的信賴，同時他們還會覺得你「善解人意」，頗有親切感。

「同一件商品，有一百個客戶就會有一百件商品。」你要做的不是說服他們認同你眼中的商品，而是把同一件商品變成別人眼中的一百件。所以，成功的推銷員應該具備什麼素質呢？答案就是隨機應變！

八、彈性溝通法

在與各類型客戶溝通的過程中，不知你是否發現，跟一些人談話很容易進入狀況，而跟另外一些人談話則很難有共同話題？當你與人交談陷入一片茫然時，你能適時改變策略以達成與對方溝通的目的嗎？這牽涉到意識形態的問題——你的意識形態，以及你的買主或賣主的意識形態。

假如你們雙方的意識形態相似，那麼就會想法一致，有同樣的期望，可以有效地溝通；反之，假如雙方的意識形態迥異，那麼彼此的交談很可能言不及意，甚至相互攻擊而不自知。大多數的業務員，都是依據自己對對方及當時的情境認知而採取行動的。然而，許多人並未發現，他的買主或賣主或許有與他不同的認知，連帶地也影響到他們的作為。買主或賣主所無法接受的，不是業務員所陳述的內容，而是業務員表達的方式，結果就是雙方產生分歧，而使交易泡湯。

有效的溝通，是建立良好關係的關鍵，業務員應該努力去瞭解溝通的運作過程，學習如何下判斷並消弭緊張的關係。當然這就有賴於培養認知自我、認知他人與認知情境的技巧，並據以修正自己的行動。如此看來，說的似乎比做的容易。然而，已有許許多多的人正在學習一種稱作「溝通形態術」的新溝通法，將溝通概念、策略與技巧，應用於商業關係與個人關係的建立上。

下列五大基本概念，可以幫助你有效溝通，進而建立更有利的關係：

1. **人們最常用的是四大溝通形態的混合**：溝通形態是指我們用以接收與發送資訊的方式，包括言語的、非言語的與行為的。每一種形態都不會單獨存在，事實上，每個人所採取的都是由四大基本溝通形態混合而成，只是混合的比例，因人而異而已。

2. **大多數人都具有多種溝通形態**：有些人在他喜歡的情境下，運用一種主要溝通形態，而在緊張或不喜歡的情境下，使用另一種溝通形態。說明一個人在不同情境下，行為可能有極顯著差異的原因。

3. **溝通形態表現在行為上，可以觀察、辨識出來**：有許多線索可觀察出一個人的形態，諸如穿著、辦公室的擺設、接電話的動作、書信與口頭溝通。

當然，光憑一條線索不足以觀察全貌，必須綜合數條線索，便可約略摸索出一個梗概。有時候，你憑著幾點可靠線索，就能迅速與對方建立有效的關係。

4. 人們傾向於接納與自己主要溝通形態相似或感應較佳的形態：反過來說也一樣，人們常較為排斥、甚至憎惡與自己不同或無法感應的形態。面對買主或賣主，根據他的形態衍生出來的期望，業務員可能未能採取適當的反應或行動，因此產生衝突。假如一個業務員能看穿買主或賣主的形態，便可預知潛在的衝突，進而調整自己的方法，以避免或消弭衝突。

5. 溝通形態是有彈性的：換言之，可以暫時修正自己的主要形態，來提高被對方接納的機會。

溝通形態無所謂對錯、好壞。形態本身是中性的，只是運用在情境中，依溝通雙方的特性，而有合適與不合適之分。

基本溝通形態有四種：

(1) 直觀派

其特點是愛幻想、有創造力、勇於創新。直觀派注重原始觀念與勇於嘗試。他們想得較長遠、且較為整體，常被視為理想派或哲學派。

(2) 思考派

注重事實、邏輯與系統分析，較為保守、謹慎，喜歡收集所有相關資料，再據以權衡、推斷，並選定多種方案中的一種。思考派偏愛以邏輯、按部就班的途徑來解決問題。

(3) 情感派

率性、感情用事，注重印象與關係。喜歡把工作環境個人化，在個人及工作上的交往，喜好開放、坦誠的方式，且常憑感覺下決策。

(4) 感應派

強調行動、當機立斷，注重最終結果。感應派的人，行事果斷、步調快且有自信，偏愛「現在就動手吧！」的做事方式，常被視為真正能使事情實現的行動者。

儘管大家都知道，人們的個性不可能這麼單純地明確劃分，也難以遽然斷定其行為形態，但瞭解各種類型大概的特性與行為模式後，將令我們在摸清楚他人的期望時，彼此的交易能有一個好的開始。

業務員要如何使用溝通形態來解除客戶的抗拒心理，以迎合其期望呢？

1. **感應派的因應方式**：感應派愛爭辯、討價還價，一定要令其覺得自己占了便宜。所以，送一瓶美酒，邀他到豪華餐廳用餐，透過給予「好處」來爭取他的好感，完成交易。

2. **思考派的因應方式**：思考派偏愛步調慢、就事論事的風格。與他爭論會令他不安，最好以發問的方式，讓他從另一個角度來評估事情。

3. **情感派的因應方式**：情感派喜歡舊派強調保證的作風。他愛與人套交情，必要的話，你應以人格保證，生意成交後，你還要回來確定一切都沒出錯。

4. **直觀派的因應方式**：直觀派的人希望得到你的尊敬。當他提出意見，你要說：「這點正是我們要重視的」，並表現出你對他所提論點的瞭解與重視。直觀派會知道他的意見已被重視，而願意繼續與你談下去。

每種形態的人在做決策時，都有很不同的取向與方法。兩種不同形態的人碰在一起，衝突是可以預料的。除了運用溝通形態術之外，還要設法去瞭解客戶的需求、目標或偏好，並有效地規劃。只不過，光是規劃與瞭解，並不能讓客戶相信你能真正瞭解並滿足他的需求。善於觀察他人的溝通形態，並能調整自己的波長與對方同調，可以免去一些可能發生的衝突，迅速地建立有效的關係，贏得客戶的信任。你的意識形態不必與客戶相同，只要能彈性調整，便可創造出原本可能不會有的和諧，這片和諧，可以為你爭取更多的訂單與生意。

九、技巧說「不」法

在談判場合，商人需要根據自己的實力表明自己的態度，不要為了自己的面子，更不要為了別人的情面而羞於說「不」。有技巧地說「不」，不僅不會刺傷對方，反而有助於生意的成功。

首先你要明白的是，每個人都有說「不」的權利，商人說「不」，不管出於什麼原因都是無可厚非的，不要勉強自己硬撐而放棄這個權利。有的商人認為「客戶永遠是對的」，因而對他們的要求不敢說半個「不」字。可是對於你的讓步和「客氣」，別人不會心存感激，反而會得寸進尺。最後，你會舉步維艱，形同舉著一塊要砸自己腳的大石頭。

當然，在生意的合作中，利益衝突總是居多，你必須考慮到你的「不」給生意帶來的不利影響。如果因為一個「不」字，就讓談判「卡殼」，那就不好了。因此，你需要掌握一些說「不」的技巧。

「不」，因其乾脆俐落，確實讓滿懷期待的一方難以接受，也因此很容易讓談判陷入僵局，不利於生意順利進行。其實，你沒有必要斬釘截鐵地迸出「不」字，不妨嘗試一下沉默、迴避、拖延等手段。「無可奉告」是一個很管用的詞，「心有餘而力不足」更是客氣，「事實會證明的」也很委婉……。你可以岔開話題，甚至可以撒個無傷大雅的小謊：「我只是替人賣力，做不了這個主，等我回去請示再說，可以嗎？」

至於說「不」的時機，最重要的是確定你的拒絕能讓你處於主動優勢。故事中的房地產商人之所以成功，就在於他的「不」字為他形成了賣方市場，兩個買方競爭，價格勢必上漲，再加上「折衷調停」，他自然能一筆生意賺兩筆錢。在時機不當的時候說「不」，就等於自我放棄還有轉機的生意；在恰當的時候說「不」，也不是鼓勵你和對手辯論、較勁。有技巧地說「不」看似妥協和放棄，實際上是變相的進攻和爭取。

這一技巧還需要你認真玩味和體會，只有這樣才能掌握其中的規律。

十、從拒絕中找賣點

現在的職業婦女愈來愈多，白天在家的不是老年人，就是未入學的兒童，業務員想做正式的登門拜訪恐怕也是求見無門，要與客戶直接面對面溝通的機會銳減，業務員只好針對一些能做家庭訪問的客戶，千方百計地推銷產品，直至產品售出，爭取更好的業績為止。然而此種不顧一切要賣出去的行銷方式，卻使客戶備感壓力，因而對業務員產生了慣性的反感。因為這反感使得絕大部分的客戶會在你展開銷售之前，就一口拒絕，讓你吃了好幾次閉門羹，仍舊無法得到面談的機會。

抱怨常吃閉門羹的人很多，卻很少有人能以另一種心態來面對吃閉門羹這件事。想想看，是否有多次生意是在你第一、二次都遭到拒絕，而終於在第三、四次拜訪時談成的？如果你能用誠意敲開客戶的心扉，反而更能與客戶拉近距離。其實，站在對方的立場著想，假設有人突然闖入你家，要向你推銷產品，拒絕對方似乎也是理所當然的事，因為每個人都有權利做自我保護。所以，吃再多閉門羹也不必太在意，畢竟對方只是拒絕推銷這件事，而不是拒絕你這個人。

曾經有位資深的推銷員說過一句至理名言：「把『吃閉門羹』這件事轉變成客戶所背負的人情債。」所以，在這個行業工作那麼多年，他都能坦然地面對拒絕。有很多客戶都以「現在用不上，很抱歉！」這些話來拒絕你。他所要傳遞給你的訊息是，我家中現在還用不著你的產品，不必浪費時間了，快到下一家去碰運氣吧！如果能以感激的心情來聆聽這些冷漠的拒絕，你就不會再有挫折感了；反而因你的誠意，對對方的冷漠回報以二、三次的友誼性拜訪，而喚起客戶的欲求，進而得到一次成功的交易。同時，抱著感激的心，會讓客戶感受到你親切有禮的態度及誠心。

「哦！那我考慮考慮好了！」「嗯！我現在還沒有這個預算，下次再說吧！」業務員也許常常因上述的口頭拒絕而氣餒。不過，有時你也可以緩和這種被拒絕的場面。當客戶說：「我得和先生商量看看，如果我擅自做主的話，會被先生責罵的。」你可以回答：「哎呀！對啊！如果為了這件事讓你們夫妻傷和氣的話，那就不好意思了，那不如你們先商量看看，改天我再來拜訪。」如此一來，彼此都有個緩和的空間。

不過，並非所有的客戶都真的必須和先生商量，而是敷衍、應付你的客套話而已。因此，你必須學著分辨這兩種口氣，而將客戶拒絕的話加以分類區別，將其真偽程度判斷出來，再決定要如何回答。

例如，剛出道的業務員，當客戶一說沒錢時，就只好回答：「那下次有機會再說了！」或「不管怎樣，還是希望你能好好考慮考慮！」這樣根本不太可能談成任何交易。而老練的業務員就不同了。對方如果說「沒錢」，他就會立刻回應：「您真愛開玩笑，您沒有錢，那誰還有錢呢？」或當客戶說：「考慮看看。」他就會答道：「那我明天再來打擾您，等待您的好消息。」步步逼進，客戶當然無法招架。

可以從客戶的拒絕當中，試著尋找機會仔細判斷客戶拒絕究竟是藉口，還是另有原因。因為「嫌貨方是買貨人」，處理完問題後，再掌握促成時機，即有成交的可能。

銷售，就是必須跨越客戶的推辭，向前逼進。因此，必須先研擬一套防止客戶拒絕的話術，才能出奇制勝。如果能將這種克服客戶拒絕話術的武器好好發展訓練，應用在銷售上，相信你的銷售工作將會變得如魚得水。

十一、巧妙收場法

銷售最刺激和興奮之處，在於收場，以下介紹幾個常見的方法：

1. **正面突擊法**：是指在詳盡地介紹和解答所有疑問後，理所當然地說一聲「麻煩你簽個字啦！」當然這是頗具侵略性的做法，但是你如果態度誠懇，處處表現出為客戶利益著想，倒也是一把銷售的利刃。不過像「拜託了」、「對不起」這種話，儘量少用且不要超過三次，這樣容易讓人對你產生乞憐的感覺。

2. **感性打動法**：人都是有感情的動物，任何人都有自己鍾愛的對象，如能技巧地用感性來打動客戶購買的欲望，則是相當高明而有效的方法。譬如，「如果您能接受我的建議，一定會為您辛苦的另一半帶來意外的驚喜！」這是運用人性的弱點，使客戶聯想到產品的感性作用。而一旦客戶的感情大門敞開，銷售就等於成功了大半。

3. **感謝壓迫法**：客戶是永遠不會拒絕「謝謝」的。縱然他不想買，也不會對一個帶著微笑說謝謝的人板起面孔的。在運用此法時，必須先假設客戶已決定購買，而在言語上半強迫式地造成客戶非買不可的心理。

4. **迂迴法**：在收場時，常會遇到客戶以「可是，我的錢不夠呀！」來拒絕，你要如何應對呢？這時，你可以面帶微笑地說：「先生您太客氣了，您的人緣這麼好，向同事周轉一下一定沒問題。」將他的問題巧妙地推回去，使他找不出推托的理由而簽約。

5. **選擇法**：在收場時，記住不要給客戶太多的選擇，非A即B的二擇一法最易收效。如在簽約時，「契約書上的名字，是用您或您先生的呢？」如果是產品的話，「甲和乙您喜歡哪一個？」這樣可迫使客戶儘速做出決定。

總之，上述方法只是秘訣而已，應用的巧妙在於經驗的累積和臨場應變。

Wonderful markering
in simple stories.

Chapter 3
應用最佳的推銷技巧

不論你是銷售產品給消費者或其他公司，不管是網路投資企業，或是舊經濟的巨擘，無論是販賣產品或是服務，甚至是兩者兼賣，只要能將新行銷絕招應用到你的事業上，幾個月或者幾年內就能為你帶來可觀的報酬。對大多數的行銷人員而言，如果能夠精準地預測每一個準客戶及其往後會購買的商品，就能針對不同的客戶採取不同的銷售手法。善用推銷技巧具有畫龍點睛的功效，但絕不能違背良心，如此不僅能成為公司的超級業務員，更能為自己省下不少的銷售成本。

1.卸下客戶的心防

經常買不到合適衣服的胖女士南茜非常苦惱，因為她從生下第二個孩子開始，不到三年的時間，體重就增加了約三十六公斤，根本買不到像她這種身材可以穿的漂亮時裝。那些時裝設計師和商人，只注意那些身材苗條的女人，而忽略了為數眾多的胖女人。

南茜曾經學過服裝設計，於是她決定開一家服裝店，專賣為胖女人設計、製作時裝。不久，新店開張了，生意出乎意料地好。後來，美國內華達州舉行「最佳中小企業經營者」選拔賽，南茜還贏得了冠軍。

其實南茜奪冠的秘訣很簡單，她只不過是把服裝尺碼改了一個名稱。一般的服裝店都是把服裝分為大、中、小與特大碼四種，南茜的做法卻是用人名代替尺碼：「瑪麗」代替小號，「琳絲」是中號，「伊莉莎白」是大號，「格瑞斯特」是特大號，這些都是女強人的名字。

這樣一來，顧客上門時店員就不會說「這件特大碼的妳穿正合身」，取而代之的是「妳穿格瑞斯特正合身」。

南茜說：「我注意到，所有到店裡買大號或特大號服裝的女性，臉上難免會流露不愉快的神情。但改了名稱之後，情況就不同了，況且這些人都是名聲很響的大人物。」

在挑選店員時，南茜也別具匠心，站在大號和特大號服裝前的店員個個都是胖子，讓顧客減輕了不好意思的感覺，因此南茜的店總是顧客盈門，生意好得不得了。

行銷基本功

當下流行的美感需求並非適合所有的人，有時反其道而行，反而能獲得更好的效果，但這必須以市場為前提。巧妙地借助一些暗示訊息，再來推銷自己的商品，是一種高明的做法。適當地放入一些符合市場需求的訊息或符號，就可以輕易卸下客戶的心防，在此時進行行銷也會比較容易。

2.愛心感動法

有一名業務員經常去拜訪一位老太太，打算以養老為理由，說服老太太購買股票或是債券；為此，他常常與老太太聊天，陪老太太散步。

經過一段時間，老太太已經離不開他了，常常請他喝茶，或者和他談些投資的事情。然而不幸的是，老太太突然去世了，這位先生的生意泡湯了，但他仍然參加了老太太的喪禮。當他抵達會場時，發現競爭對手——另一家證券公司竟也送來兩個花圈，他心裡納悶地想：「究竟這是怎麼回事呢？」

一個月後，老太太的女兒到這位先生服務的公司拜訪他，原來她是另一家證券某分支機構的經理夫人。她告訴這位先生：「我在整理母親遺物時，發現了幾張您的名片，上面還寫著一些關懷的話，我母親很小心地保存著。而且，我以前也曾聽母親談起過您，彷彿與您聊天是她生活中的一大樂事。因此，我今天特地前來向您致謝，感謝您曾如此關懷我的母親。」

夫人深深鞠躬，眼角還泛著淚水，接著又說：「為了答謝您的好意，我打算瞞著丈夫向您購買貴公司的債券。」然後就拿出四十萬現金，要求簽約。對於這種突如其來的舉動，這位先生大為驚訝，一時之間，無言以對。

這可是件發生在推銷界的真實案例。

行銷基本功

這名推銷員一直去拜訪那位老太太，起初的目的肯定是為了提升自己的業績。但是隨著交往的深入，他和客戶之間就建立起了友誼。雖然老太太沒有買他的債券就突然去世，可是她的女兒卻因大受感動而買了他的債券。身為一名推銷員，要想做出成績來，只有真心對待每一位客戶，才能享受到最後的成功。同時，這個故事也說明一個行銷中的簡單道理：付出總會有回報的。

3.鎖定你的目標

一家小商店的店員某天心血來潮發現到，前來購買商品的大多數是女性，偶爾才有一兩位男性光顧，身邊大多也陪伴著一位女士。而且有意思的是，最後決定買哪件東西的時候，都是女士說了算。

這名店員開始動起了腦筋，他向銀行借了一筆錢，自己經營了一家小商店，店裡陳列的商品以化妝品、手提包、髮飾和小工藝品等為主。

他的生意一直都很好，好幾年過去了，幾乎這附近所有的女士都曾經光顧過他的商店，有不少人還成了他的常客，昔日的小店員變成了荷包鼓鼓的小店主。

但是他的掙錢生涯並未就此結束。他將多年來累積的資本全部投入，大膽成立了一家大型百貨公司。

一樓是化妝品及專門經營金銀首飾的專櫃，二樓展示流行女裝、皮鞋及一些飾品、配件，三樓是男性服飾、童裝及中老年人的服裝，還有兩層是各式各樣的商品，如寢具、家電用器、裝飾品……。他沒有想到的是，不僅這裡的女性商品銷路出奇得好，而且其他綜合商品也特別受歡迎。

有人向這位春風得意的百貨公司老闆探詢其經營秘訣，他笑著答道：「難道你沒有注意到，來這裡的大都是女人嗎？她們的錢最好賺！」

行銷基本功

「女人的錢最好賺」，這句話確實沒錯。女人的購買欲望比男人強，女性用品種類繁多、需求量大。精明的銷售人員會把心思放在女人身上，想方設法抓住她們的心，從中挖掘商機。許多公司會把銷售產品定位在女性用品上，也會把經營對象直接定位在女性身上，甚至還會為女性量身訂做女性訴求的宣傳廣告。這些在在都說明女性的消費能力是很可觀的。但不管採取什麼手段與方法，唯一不變的，就是要打動女人的心。

4.善用價格戰

有機會你到商店街去轉一轉，就會發現有些商店門口掛出這樣的牌子：「本店商品一律九折」，而有的店則打八折、七折。到底有沒有打折

另當別論，只是人們一看到牌子，總想去瞧一瞧，這點就是利用人們會想貪圖便宜的心理。

一九七三年七月，東京銀座的紳士西服店開始做起一折的生意，使東京人大為吃驚。緊接著，東京著名的八重皮鞋店有六家商店也加入一折銷售的行列。

打七折、六折的大拍賣是常有的事，不會有人大驚小怪，然而打一折卻是前所未聞的。這種銷售法確實不能賺錢，但是它的意圖是將來的消費。

這種銷售法是，首先訂出折扣的期限，第一天打九折，第二天打八折，第三、四天打七折，第五、六天打六折，第七、八天打五折，第九、十天打四折，第十一、十二天打三折，第十三、十四天打二折；最後兩天打一折。

客戶只要在這打折銷售期間，選定自己喜歡的日子去買就行。如果想要以更便宜的價錢購買，那麼選在最後那兩天去買就行了，但是你想買的東西不一定會留到最後兩天。

據紳士西服店的經驗，第一天和第二天前來的客人並不多，來也只是看看就回去。第三天就開始有一群一群的客人光顧，第五天打六折，客人就像洪水般湧到商店開始搶購，之後的幾天客人都爆滿，當然把商品全部賣光自然是不用說了。

這種方法的妙處是能有效抓住客戶的購買心理。任何人都希望在打二折、一折時買到自己所要的東西，然而所要買的東西並不能保證都會留到最後一天。因此一開始，大家並不會匆匆忙忙買下來。然而，等到打七折的時候，就會開始焦躁起來，怕自己所要買的東西被別人早一步買去，失去了大好機會。

就這樣，一般客戶會在打七折時就去店裡消費，到打六折時，就會產生不能再等下去的心理。

經驗顯示，打六折時客戶會大量湧入開始搶購，即反映了客戶的這種心理。實際上等到打三至二折的時候，剩下來的東西都是不會立即用到，或是size不足的商品。

我們再來看賣方這一邊，紳士西服店打一折銷售的商品平均起來，是以商品原來售價五折的價錢售出的。說起來，雖然這樣買賣比較沒有利潤，有時反而是虧本的，但是從出清存貨和宣傳角度看來，可以說是效果極佳，這種方法顯然比「存貨出清大拍賣」的做法更加高明而有效。

雖然對於打折銷售的商品來說，並非全都是熱門的搶手貨。但有些商店偏愛以這種促銷活動，來激發大眾的購買慾。

紳士西服店這種薄利多銷的方式，利潤雖然會比原定價格低許多，但透過這一活動使商店聲名大噪，不但賣光了存貨，也替商店大打知名度，也可說是一種好的行銷手法。

行銷基本功

打折，是一種具有市場魔力的心理戰術。紳士西服店打一折促銷的巧妙之處，就是利用了群體心理效應。人人都希望買到最便宜的商品，但都不能肯定自己是否有機會買到最便宜的商品，與其讓別人買到最便宜的商品，不如在自己能接受的合適價位時買下。如此一來，平均商品都在七～六折時，就會被賣出去。其實，這種做法與一般的打折出售並無區別，但卻收到了更好的宣傳效果，這種巧用客戶心理進行行銷的做法，不得不令人拍案叫絕。

5.廣告效益要精準到位

一個老闆模樣的中年男子，每天早上七點，就會準時出現在十字路口，這種情況已經連續十天了。

他的手裡拿著一隻碼錶，不時地看一看過路的人，一副若有所思的樣子，還不時在一張紙上記錄著什麼。附近的人都不知道這個男人在幹什麼，為什麼要這樣做。

一個星期過後，中年男子又出現在這個路口，他忙碌地指揮從業人員製作一個大的廣告招牌，確定地點、擺好架梯、固定廣告招牌……。

附近的人在旁圍觀，有人忍不住問中年男子：「我看見你前一段時間老在這裡走動，是不是為了這個廣告招牌啊？」

中年男子笑著說：「是啊！每天我都會記下這裡行人的大致數目，觀察他們，估計他們的消費水準和精神狀態，還會留心他們目光停留的地方和時間……。」

發問的人好奇地問：「你的工作這麼認真，這筆廣告費用肯定很多吧？」

「還好啦！並不是很多。」男子平靜地回答。

廣告招牌製作出來後，人們透過媒體才知道，這是由一家知名的跨國廣告公司所製作的廣告招牌。

論實力，這家公司可以對市場實行狂轟亂炸，製造轟動效應，但是他們沒有。因為他們懂得如何用廣告促進企業產品的銷售，提高效益，讓廣告發揮應有的作用，而不是為了廣告而廣告。

行銷基本功

如果你的產品品質絕對符合優等，不要不屑於宣傳，因為你不「廣而告之」，生意就會愈來愈差，而且別人還會愈來愈好，差距會愈拉愈大，遲早你會被別人併吞或者自我放棄。在廣告活動中，與其大肆炒作、製造轟動效應，不如做些實實在在的事情——全面地調查顧客，精確地計算投入費用，周密地考慮可能會出現的問題。這樣做出來的廣告，不僅費用要少得多，而且定位也準確得多。此外，這樣的廣告，肯定能收到良好的成效。

6.借政揚名：隨時把握機會曝光

一家自行車廠獲知某外國總統與夫人將到本國訪問。讓他們欣喜不已的是，這位總統曾經在這個國家擔任過駐外聯絡處主任，而且有一大業餘愛好——喜歡騎著自行車在大街小巷閒逛。

這家自行車廠認為這是一個大好的機會，於是特地製造了兩輛色彩明亮、質地優良、款式新穎的單車，透過外交部送給了總統夫婦，以表示對他們到訪的熱情歡迎。

總統一看到這充滿友誼的禮物，就流露出喜悅和感動的神情，隨即騎上單車，連連誇讚說：「很好！很好！我很喜歡！」

各大電臺和報社的新聞記者立即捕捉到這個獨特的新聞，拍下當時熱烈的場面。

這家自行車廠一時聲名大噪，隨著媒體的報導聲名遠播，在國內外掀起了一股爭相購買「總統級」自行車的熱潮。

更值得慶賀的是，十天後，該廠陸陸續續接到了十三份來自國外的訂單。

經濟和政治是相互依存、不可分割的。這家自行車廠抓住了商業和政治的關係，也就抓住了商機。如果你有心把生意做大、做強，就一定要關注政治，善於從政治情勢中尋找商機和經營環境，如此才能適時抓住成功的機會。

很多精明的商家借助國事活動向國賓贈送禮品，這不能不說是一種行之有效的宣傳活動。國賓都使用的產品還有什麼可以懷疑的呢？更有免費的新聞傳媒替你增加曝光度。借助「國賓」這樣的「名人」就能創「名牌」，依靠新聞報導就能做免費的廣告宣傳。這樣一番「折騰」之後，你的產品不想出名都難！

行銷基本功

真正有經驗的商人或企業家總是熱衷參加政府部門主辦的相關活動，會議也好，聯誼活動也罷，他們把這些場合當作聽取領袖和專家建議的寶貴機會。在和政府部門交流的過程中，他們會和相關人員建立良好的關係，以便日後準確而及時地獲得經濟政策的相關資訊。

從某種程度上說，國家和政府是最優秀的「推銷員」，高知名度的政府官員就是無可挑剔的廣告明星。真正有經驗的商人和企業家總是把握參加政府部門主辦的相關活動，借助政治來推銷產品，以揚名四方。不僅可以打開國際市場，而且還能擴大國內市場的規模，樹立在國外的形象，既增進了國際間的友誼，又宣傳和推銷了自己的產品。

7.微笑為你贏得商機

威廉·懷拉是美國頂尖的保險業務員，年收入百萬美元。他成功的秘訣就在於，擁有一張令客戶無法抗拒的笑臉。但他那張迷人的笑臉並非天生的，而是長期苦練出來的。

威廉原是全美家喻戶曉的職棒明星，到了中年，因體力日漸衰退被迫引退，之後他就去應徵保險業務員。他認為以自己的知名度，理應被錄取，沒想到竟被拒絕了。人事經理對他說：「保險業務員必須有一張迷人的笑臉，但你卻沒有。」

聽了經理的話，威廉並未氣餒，反而立志苦練笑臉，每天在家裡放聲大笑百次，鄰居都以為他因為失業而發瘋了。為了避免引起沒必要的誤會，他乾脆躲在廁所裡大笑。

他也收集了許多公眾人物迷人的笑臉照片，貼滿整個屋子，以便隨時觀察學習；同時還買了一面比身高還高的大鏡子，擺在廁所裡，每天進去大笑幾次。過了不久，他又去見經理，經理冷淡地說：「好一點了，不過還是不夠吸引人。」

威廉不認輸，回去加緊練習。有一天，他散步時碰到社區的管理員，很自然地笑了笑，對管理員打招呼。管理員對他說：「威廉先生，你看起來跟過去不太一樣了。」

這句話使他信心大增，立刻跑去見保險公司經理。經理對他說：「是有點味道了，不過那仍然不是發自內心的笑。」威廉不死心，又回去苦練了一段時間，最後終於悟出「發自內心，如嬰兒般天真無邪的笑容才是最迷人的。」最後，威廉終於練成這張價值百萬美元的笑臉。

行銷基本功

有時，成功就來自對一個笑容的堅持。對行銷工作而言，笑容就是最好的名片。因此，我們要努力學會微笑，並將微笑帶給每一個人，破除人與人之間初次見面時的不信任感，進而有機會切入主題，順利地行銷你的產品。唯有如此，才能像威廉那樣成為行銷高手，獲得事業的成功。

8.善用你的潛在客戶

喬・吉拉德（Joe Girard）是世界上最有名的銷售專家，被譽為「世界最偉大的推銷員」。在銷售史上，他獨創了一個巧妙的促成法，使人爭相模仿。

喬・吉拉德創造的是一種有節奏、有頻率的「放長線釣大魚」的促成法。他認為，所有認識的人都是自己的潛在客戶。對於這些潛在的客戶，他每年都會寄出十二封廣告信函，每次都會以不同的顏色和形式投遞，但在信封上不使用與其職業相關的名稱。

一月份，他的信函是一幅精美的喜慶氣氛圖案，同時配以幾個祝福的大字，下面是一個簡單的署名：「雪佛蘭轎車，喬・吉拉德」。此外，沒有多餘的話。

二月份，信函上寫的是：「請享受快樂的情人節！」下面仍是簡短的簽名。

三月份，信中寫的是：「祝你聖巴特萊庫節快樂！」聖巴特萊庫節是愛爾蘭人的節日。也許客戶中有人是波蘭人或捷克人，但這無關緊要，關鍵是他不忘向客戶表示祝福。然後是四月、五月、六月……。不要小看這幾封信，以為它們所起的作用並不大。不少人一到節日，就會問夫人：「今天有沒有人來信？」

「喬・吉拉德又寄來一張卡片！」

就這樣，吉拉德每年都有十二次機會，使自己的名字在愉悅的氣氛中來到每個家庭。

喬・吉拉德沒說一句「請你們買我的汽車」，但正是這種「不說之語」，不講推銷的推銷，反而給人們留下了最深刻、最美好的印象，等他們準備買汽車的時候，往往第一個想到的人就是喬・吉拉德。

行銷基本功

商業與人情味必須始終保持必要的聯繫。商業排斥人情味，但又需要人情味，自吹自擂式的銷售，並不是最高明的模式。喬・吉拉德的這種推銷方式，或許比較無法收到立竿見影的效果，但卻不失為一個好的行銷策略。

9. 善用價格差異的對比效果

有一家專門經營電子玩具的商店，新引進兩種不同型號、品質相差無幾、價錢一樣的電子遊戲機，然而，擺在櫃檯上卻很少有人光顧。

該店新上任的女經理便在標價上出了個主意。她把型號小的那款遊戲機的標價，從八十元提升到一百六十元，而型號較大的遊戲機標價卻不變。

俗話說：「百貨送百客。」有人看到型號又大、價格又便宜的遊戲機並不比標價高的那種品質差，以為撿到了便宜，機會難得，都會毫不猶豫地將其買下。

一些有派頭的人，看到型號小，價格卻比型號大的遊戲機價格高出八十元，以為遇到了「真貨」，也慷慨解囊，趁遊戲機盛行之時，買回去送給寶貝兒子。

很快，幾千臺兩種型號的遊戲機就全部售出了。

女經理故意提高型號小的遊戲機價格，使兩種遊戲機的價格形成強烈的對比，引起不同需求客戶的購買欲望，進而收到了良好的促銷效果。

行銷基本功

為什麼同樣的商品標上不同的價格，銷售狀況就會發生明顯的改變呢？原因是，一般人有兩種消費心理：一種是「物美價廉」，另一種是「便宜沒好貨」。女經理正是運用兩種商品的價格差，使兩種消費心理各自巧妙地發揮了作用，進而收到良好的行銷效果。

10.聚集經濟的行銷效益

有一家公司，擁有半條街的店面房屋。

這條街附近是一個很大的住宅區，公司由於十幾年來業務不景氣，只好撤了店面，將空屋對外招租。

有一對夫婦，率先在這裡租屋，開了一家風味小館，生意格外的好。於是，賣麻辣燙的，賣麵食、飯類的……各式各樣的小吃全聚到這條街上。一下子，這條街上人聲鼎沸，很快成了一條遠近馳名的小吃街。

看到房客們生意這麼好，出租房屋的地產公司收回了全部的房屋，趕走所有在此經營各種風味小吃的人，自己搖身一變，也開始經營起小吃。但萬萬沒有料到，僅僅一個月的時間，這條街又冷清起來，公司效益也出奇的差。

公司經理百思不得其解，詢問一位德高望重的市場研究專家。專家聽了，微微一笑，問道：「如果你要吃飯，是到一條只有一家餐館的街上去？還是要到一條有幾十家餐館的街上去呢？」

經理說：「當然是那種餐館多、選擇多的地方啊！」

專家聽了，微笑說：「那麼，你的公司壟斷了那條街的小吃生意，這與一條街上只有一家餐館又有什麼不同呢？」

房地產經理立即醒悟，回去後，他迅速縮減了自己公司的餐館，又將大部分的空屋對外招租。於是，這條街的生意又恢復了往昔的人潮。

行銷基本功

靠大市場才能賺錢，遠離了大市場，就等於遠離了賺錢的可能性。這是每一個成熟的商人都明白的經營之道。專家忠告說：「不要期望壟斷性的獨門獨店生意能賺到錢。想要賺錢就必須把自己融入市場，因為每一個消費者都具有獨立的選擇權利與不同喜好。」所以，行銷不能遠離市場，不能總想著把對手全部消滅，這樣的做法是不可能獲得永久勝利的。

11.巧妙利用對比的視覺誤差

有一位中年男子，擺了一大簍雞蛋在菜市場中央吆喝叫賣，可是很多人經過他的攤位都只瞄了一眼就走了，有個婦人嘴裡還直嘀咕：「雞蛋這麼小！」男子看看自己的雞蛋，今天的確是小了點，但又不能退，天氣愈來愈熱，再不賣掉，若是變質了，就得全部扔掉，這樣豈不是血本無歸？

眼看今天一整天賣出的雞蛋不多，男子心情煩悶地回到家，喝了一杯酒，坐在沙發上發呆。妻子看著愁眉苦臉的丈夫，一句話都沒說，只是拿起尚未織完的毛衣，坐在丈夫身旁默默地織著毛衣。

男子兩眼無神，茫然地看著妻子纖細的手指一上一下穿梭在毛線間。忽然，他站了起來，轉身從簍子裡拿出兩顆雞蛋，並將其中一顆放在妻子的手中。

男子看看自己手中的雞蛋，再看看妻子手中的雞蛋，然後高興地說：「明天妳到菜市場幫我賣雞蛋，我去賣其他東西。」

第二天，中年男子和妻子一大早就來到菜市場，他的妻子用纖細的手指在簍子裡一邊撥弄雞蛋，一邊吆喝：「新鮮雞蛋！快來買喲！」

中年男子也坐在老婆的身邊吆喝著，但他吆喝的卻是：「快來買好吃的巧克力豆喲！」

只見一大盒巧克力豆擺在雞蛋旁邊，相映之下，雞蛋大多了，再加上妻子纖細的手指，今天的雞蛋看起來一點也不小。還沒等到太陽下山，中年男子的一簍雞蛋就已銷售一空。

行銷基本功

促銷是一門很大的學問。那麼，應如何讓客戶在不知不覺的情況下，接受你所暗藏的訊息呢？利用「對比」所產生的視覺誤差，是一種獨特的行銷手法。讓消費者接收到不同的訊息，有了不同的刺激，此時，行銷人員再將產品介紹給他們時，就會更容易了。

12.「以二擇一」促銷法

有兩家賣粥的小店，左邊這家和右邊那家每天上門的顧客相差不多，都是川流不息，人來人往。然而，晚上結算的時候，左邊這家總是比右邊那家多出一千多元的收入，天天如此。

原來，當人們走進右邊那家粥店時，上前服務的小姐總是微笑迎人，盛上一碗粥並問顧客：「加不加雞蛋？」

客人說：「加。」小姐就幫客人加上一顆雞蛋。顧客的需求都不盡相同，有說加的，有說不加的，比例大概各占一半。

而走進左邊的那家粥店，服務小姐也是微笑迎人，盛上一碗粥但卻是問道：「加一顆雞蛋？還是兩顆雞蛋？」

客人笑著說：「加一顆。」

再進來一個顧客，服務小姐又問一句：「加一顆雞蛋？還是加兩顆？」

愛吃雞蛋的就會加兩顆，不愛吃的就會加一顆，也有要求不加的，但是很少。所以，一天下來，左邊這家就要比右邊那家粥店多賣出很多雞蛋。

行銷基本功

所謂「以二擇一」術，包括這樣兩個因素：一是，仍將客戶視為可以接受我們的商品或服務來行動；二是，用「肯定回答質詢法」來向客人提出問題。具體的方法是，在問題中提出兩種選擇（例如：規格大小、色澤、數量、送貨日期、收款方式等），讓客戶任意選擇。心理學上有個名詞叫「沉錨效應」——人們在做決策時，思維往往會被第一訊息所左右，它就像沉入海底的錨一樣把思維固定在某處。在左邊店中，是「加一顆？還是加兩顆？」的問題，這第一訊息的不同，使你做出的決策就不同。其聰明之處在於，做事既給別人留有餘地，更為自己爭取了最大的空間，唯有這樣，才能於無聲無息中獲勝。我們在推銷產品時，更應該注重轉向市場、傳達消費者的第一聲音，利用準確、鮮明和藝術的第一聲音——「沉錨效應」獲得成功。

13.吃不到的才是最好的

某百貨公司的經理曾多次拒絕接見一位領帶推銷員，原因是，該公司已經有一家固定合作的領帶供應商，因此，經理認為沒有理由改變原先的合作關係。

一天，這位領帶推銷員又來了，這次他首先遞給經理一張紙條，上面寫著：「能否給我十分鐘時間，就貴公司的一個經營問題提供一點建議？」

這張紙條引起了經理的好奇，推銷員被請了進去。於是，他拿出一種新式領帶給經理看，對他說：「這種領帶使用了一種特殊的香料。這種香料價格昂貴，而且製作過程比原來的複雜了十倍。這是因為它戴在人身上會散發出一種淡淡的香味，令人心情愉快，目前深受年輕人喜愛。正是鑑於這個原因，我想請您報個公平合理的價格。」

經理仔細端詳著這件產品，感覺它確實不是一般的產品。推銷員看到他確實有點愛不釋手，突然對他說：「對不起，十分鐘的時間到了，我說到做到，不能再耽誤您寶貴的時間，我先走了。」

說完，就立即拎起公事包準備要離開。

經理急了，表示還想再看看那些領帶。最後，他按照推銷員所報的價格訂了一大批貨，而且價格還比經理所報的多了一元。

行銷基本功

俗話說：「吃不到的才是最好的。」這位推銷員準確地利用了經理的這種心理，先讓經理好好地看看產品，當經理也認可產品時，就藉機說自己要離開，這時會讓對方有一種心理壓迫，因而促使經理要趕快做出決定。這樣的方式，也是行銷心理戰術的一種。

14.消費心理的妙用

美國商人史太菲克發現，許多洗衣店為了保持剛熨好衣服的平整、避免皺褶，會將衣服摺疊在一塊硬紙板上，而這種襯衣紙板每一千張成本四美元，於是他在腦海中萌發了一個絕妙的創意。

他以一美元一千張的價格出售紙板，但要在每張紙板上登一則廣告，登廣告的人當然要付一筆廣告費，這樣自己便可從中獲得一筆收入。但要使這樣的廣告發揮宣傳作用絕非易事。因為，洗衣店的顧客通常會將從衣服上拆下來的襯衣紙板隨之丟棄。

該如何讓這種登有廣告的襯衣紙板能被長期保留在顧客家中，進而達到廣告的目的呢？

於是，史太菲克在襯衣紙板上印上一則則彩色或黑白廣告，同時，增加了生動有趣的兒童遊戲、提供家庭主婦們一些食譜，或是一些益智的字謎。

想不到這一招還真管用。有的家庭主婦為了設法得到更多史太菲克的食譜，甚至把本來還不是很髒的衣服提前送到洗衣店裡。此外，為了擴大公司的業務，史太菲克還向美國洗染學會捐贈了出售襯衣紙板的部分收入。該學會為了表示感謝，建議所屬的各個成員和同業工會，購買和使用史太菲克的襯衣紙板。

就這樣，史太菲克幾乎壟斷了市場。這個曾經被人瞧不起的小生意，在人們驚訝的目光中，變成了一筆賺錢的大生意，史太菲克也因此一躍成為美國著名的富商之一。

行銷基本功

史太菲克成功的關鍵在於，弄清楚自己產品的消費對象及其消費心理，進而制定了相應的行銷策略，可謂是「對症下藥」。而成功之後，又尋找其他途徑來替他的產品做廣告，還讓同行學會為其做廣告，讓別人替他發聲，這無非是一種高明的手段，這樣的策略是很值得學習和借鏡的。

15.行銷要能出奇制勝

張老闆曾在飯店當了十幾年的大廚師，多年下來也存了一些積蓄，想自己開一家飯店。於是，他在國道旁邊選了一個地點，開了一間名為「連發」的餐館兼商店。

他想，這條公路是交通要道，每天車輛、行人川流不息，客人一定會很多，生意自然不壞。可是，儘管門前車流滾滾，但餐館卻是門可羅雀。一個月下來，「連發」不僅不發，本錢倒是虧了一大筆。

張老闆真是不明白，明明這麼多人潮都從門前走過，為什麼他們都不吃一點、買一點呢？是餐館味道不行，還是服務不夠周到呢？但他們連吃都沒吃過，又怎麼知道我的飯菜和服務不合他們意呢？

有一天，閒得無聊的他突然看到一則外國廣告，廣告詞非常幽默。於是他靈機一動，也來了一個「照本宣科」，內容是這樣的：

連發餐館啟事：「如果你們再不進本店吃點東西，本店的所有員工就沒得吃了。」

張老闆喜孜孜地看著做好的廣告招牌，心想，這次總可以掙點「吃」的了吧？

又是一個月過去了，紅紅綠綠的廣告招牌被風雨打得「面目全非」，但餐館的生意還是老樣子，絲毫沒有因為這次的廣告而有所改變。這下子，張老闆真的像熱鍋上的螞蟻了。

著急了幾天後，他忽然有個想法，設法在離飯店不遠的空地上，花錢建造一座小巧精緻的廁所；然後，再將原來放在公路邊的「連發」廣告招牌用油漆刷白，用鮮紅的油漆寫上「廁所」兩個大字。

這樣一來，往來的人潮從很遠的地方就能看到「廁所」這兩個大大的紅字了。

廣告招牌才剛建好，當天就有幾輛大巴士停下，從車上湧下一批遊客，直奔餐館旁的廁所。休息過後，自然就會到「連發」去逛逛，有的吃飯，有的購物，好不熱鬧。

於是，長期下來，公路上來來往往的司機都記住了「連發」旁邊的廁所，每天都有上百輛車停在「連發」門前，生意自然好得不得了！

行銷基本功

當正常銷售手段和策略都不能奏效時，使用非常的方法，獨辟蹊徑，也會得到意想不到的效果。張老闆的策略真是不落窠臼，用廁所當飯店的廣告招牌，竟收到如此良好效果。靈活的行銷企劃人員，要常常刺激自己的創意，如此才能在商場上有不一樣的表現。

16.緊跟時代潮流

一九五七年，威廉·巴藤擔任貝尼百貨公司的總經理特助。一個星期天，他路過公司旗下的一家百貨公司，發現自己竟然可以在裡面悠然邁大步地向前走。每逢星期假日，一般的商店無不人滿為患，像貝尼這種大眾化的商場，更應該是擁擠不堪；可是他在這家百貨公司裡卻看不到這樣的景象。

巴藤不斷思索，終於發現了一個情況，就是貝尼百貨的顧客中，絕大多數都是育有孩子的中年主婦們，年輕的顧客寥寥無幾。如果商店裡年輕顧客較多，那麼從擁擠中，人們便可以感受到一股特別的「活力」。

現在，由於年輕顧客較少，商店就難免給人冷冷清清的感覺。

巴藤分析其中的原因，認為貝尼百貨公司缺乏年輕一代的賣點，無法激起年輕人的購買欲望；而年輕一代之所以望而卻步，根本原因當然是商品流行感不足，新潮商品太少。這樣下去，百貨公司的經營如何能繼續下去呢？

於是，巴藤痛下決心，要將貝尼百貨的經營政策做個徹底改革。到了一九六三年，巴藤創辦了一家包羅萬象的百貨公司，裡面的商品包括：流行服飾、家庭電器、家具、化妝品，還有美容院、餐廳、電影院等等，吸引了各階層的顧客，特別是消費力極為旺盛的年輕一代。

就這樣，巴藤恪守以年輕一代為對象的經營理念，把貝尼公司的代表性商品放在「美」、「新」和「流行」上。該公司在他的領導下，眾多的連鎖公司遍及全美各地，創造了輝煌的業績。

行銷基本功

從某種意義上來說，推銷商品的關鍵在於，是否能把握年輕人的需求，因為年輕人的市場其實是很大的，他們有著很大的消費潛力，其消費量也是很可觀的。有效又成功的行銷，應時時注意自己的產品是否合乎現在潮流，適時地加以調整，以符合各個年齡層的不同需求，如此一來，便能締造佳績。

17.瞭解你想占領的市場

一九六二年，日本京瓷（Kyocera）的稻盛和夫隻身前往美國。此行

的目的，並不是要開拓美國市場，而是為了打開本國市場。

三年前，稻盛和松風工業公司的一名職員共同創辦了日本京瓷（Kyocera）。他們拚命工作，努力奔走推銷公司的產品，積極說服各廠商試用。

但是，當時美製品占有大半的日本市場，大型的電器公司只信任與使用美國的製品，根本不採用日本廠商所生產的東西。

稻盛和夫想，既然日本市場猶如銅牆鐵壁般難以打入，不如來個出奇制勝，看能不能反敗為勝。

稻盛和夫所用的策略就是，使美國的電機工廠使用京瓷的產品，然後再回銷到日本，藉此引起日本廠商的注意，屆時再占領日本市場就容易多了。

由於美國廠商不同於日本，他們不拘泥於道統，不管賣方是誰，只要產品精良，禁得起他們的測試，就會被採用。這給稻盛帶來了一線希望。

儘管如此，想在美國推銷產品，也不是一件容易的事。稻盛在美國近一個月的時間裡，推銷行動全部吃了閉門羹。稻盛遭受這樣的失敗後，又氣又餒，決心再也不去美國。但是回國後發現除了這個方法之外，實在沒有別的辦法，他只好又返回美國。

終於皇天不負苦心人。稻盛從西海岸到東海岸，一家一家地拜訪，在拜訪數十家電機、電子製造廠商以後，碰到德州的中緬公司。該公司為了生產阿波羅火箭的電阻器，正在尋找耐高溫的材料。經過嚴格的測試後，京瓷公司的產品終於擊敗德國與美國許多知名大廠的製品，最終獲得採用。

這是一個轉捩點。京瓷公司的產品獲得中緬公司的好評及採用後，許多美國的大廠也陸續與他們接觸。

稻盛終於如願以償，他先將產品輸出到美國，使產品成為美國的知名品牌，之後再回銷日本。就這樣，京瓷公司終於打開了日本市場。

行銷基本功

占領一個市場，先要瞭解這個市場的消費習慣。京瓷公司知道日本公司不太信任日本的產品，而只相信美國製品。於是，就採取先在美國獲得好評的策略，轉而再登陸日本本土市場。這是一個相當大膽、也相當出色的行銷模式，最後的結果可知，京瓷公司獲得了成功。我們可以運用這種策略，弄清楚自己想占領的市場，先將自己的產品推銷出去，再回銷國內，這種「外貿轉內銷」的策略也是一大妙招。

18.欲擒故縱

系山英太郎是日本有名的富翁，他想建一座高爾夫球場。經過仔細斟酌，終於選中了一塊地，這塊地按市價值兩億日圓。由於競爭者很多，相互加價，於是價格也就被抬高了不少。

系山英太郎就想出「欲擒故縱」的計策，目的是想以合理價格買到這塊地。

於是，他找到了地主的經紀人，表明自己想買這塊地的意願。

經紀人知道系山是個有錢的人，便想趁機敲他一筆，說：「這塊地的優越性是沒什麼好說的，建造高爾夫球場，保證賺錢。要買的人很多，如果系山先生肯出五億日圓的話，我將優先給予考慮。」

「五億日圓嗎？」系山表現出對地價行情一無所知的樣子，「不貴，不貴，我願意買。」

經紀人喜出望外地將此狀況向地主報告，地主也大喜過望，他們都覺得五億日圓的價格已高得過頭了，因此回絕了別的競爭者。所有想買這塊地的人聽說自己的競爭對手是大富翁系山也都不敢來競爭了。

可是系山之後就再也沒有來找經紀人，經紀人多次找上門去，他不是避而不見，就是推三托四，說買地之事需要好好考慮。這可難倒了經紀人，再三地說服系山，希望系山將買地之事趕快確定下來。

系山還是不予理睬，最後才說：「場地我當然要買的，不過價錢怎麼樣呢？」

「你不是答應過出價五億日圓的嗎？」經紀人趕緊提醒道。

「這是你開的價錢，事實上地價最多只值兩億日圓。你難道沒聽出我說『不貴，不貴』的譏諷意味嗎？你怎麼把一句笑話當真了呢？」

經紀人這才發現中了系山的圈套，就和盤托出地說：「地價確實只值兩億日圓，系山先生就按這個數目付款如何？」

系山答道：「笑話，如果按這個價格付款，我就不需要想那麼多了。」

經紀人真是進退兩難，由於其他人已退出競爭，如果系山不買就沒有買家了，最後經紀人只好以一億五千萬日圓成交。

系山確實相當聰明，利用經紀人好勝貪心的心理大做文章。

對於一塊只值兩億日圓的土地，對方出了五億日圓，這當然可說是天價了，經紀人和地主也因這意外的收入而狂喜。但俗話說得好，「樂極生悲」啊！

他們忘了重要的一點，這五億日圓的生意僅是口頭上的承諾，沒有形成文字，因而這筆五億日圓的口頭承諾，對系山來說絲毫不起作用。

而經紀人卻因有人能出五億日圓，而拒絕了其他的競爭者。因此，形勢變成對系山是極為有利的，購買者只有系山一人，他大可按自己的價格來說了。

經紀人此時才明白，一句話後面隱藏著的一個巨大的陰謀，等他醒悟時，已經太遲了。這塊地連應值的兩億日圓都沒賺到，反而還讓價了五千萬日圓。真是「偷雞不成蝕把米。」

行銷基本功

商業競爭從某種意義上可分為三大類：買方之間的競爭、賣方之間的競爭，以及雙方與賣方之間的競爭。在買方與賣方之間的競爭中，一方如果能先擊敗同類競爭對手，就會獲得主動地位。當對方覺得沒有什麼要求時，就會委曲求全。這是一種在多角洽談中競爭的策略。這種策略在各類商務談判中，經常被使用。

19. 情感效應

有位農夫想要為小女兒買一匹小馬。在他居住的小城裡，共有兩匹馬要出售，從各方面看，這兩匹小馬的品質都差不多。

第一個商人告訴農夫，他的小馬售價五百美元，想要的話，可以立即牽走。第二個商人則為他的小馬索價七百五十美元。

但第二個商人告訴農夫，在做任何決定前，他要農夫的小女兒先試騎一個月。他除了將小馬帶到農夫家外，還自備小馬一個月吃草所需的費用，並且派出自己的馴馬師，一週一次，到農夫家去指導他的小女兒如何餵養及照顧小馬。

他還告訴農夫，小馬十分溫馴，但最好讓農夫的小女兒每天都能騎著小馬，讓彼此互相熟悉，因為小馬也是有感情的。

最後他說，在第三十天結束時，他會到農夫家。屆時，農夫有兩種選擇：一、讓他將小馬牽走，他會把馬房清掃乾淨；二、農夫支付他七百五十美元，將小馬留下。

最後的結果是，農夫的小女兒捨不得讓那匹小馬離開，因此農夫就花了七百五十美元將小馬買下。

行銷基本功

一樣的商品，有的人能賣出好的價錢，其根本原因還是服務做得好，這就是「風險逆轉」的行銷策略。如果你是公司第一個做出「風險逆轉」的行銷人員，或是同行中唯一如此做的公司，那麼，就能首先獲得顧客的信任，進而有機會談成交易，成為最後的贏家。

20.善於發現產品的價值

有個年輕人在大街上撿到一隻老鼠。他把老鼠送給某家藥鋪，得到了一枚錢。

他用這枚小錢買了一點糖漿，又用一個瓶子將茶水盛滿，送給剛從樹林裡採花回來的花匠們喝。花匠們每人送他一束鮮花。他賣掉了這些鮮花，第二天又帶著糖漿和水瓶到花園去。

這天，花匠臨走時，又送他一些鮮花。

以這樣的方式，他不久便存了一些錢財。

有一天，花園裡滿地都是狂風吹落的枯枝敗葉，園丁不知道怎麼清除它們。這個人得知後，便主動提出幫園丁免費清掃，條件是要將這些枯枝敗葉送給他。園丁自然是高興地答應了。

於是，這個年輕人走到一群正在玩耍的孩童中，將買來的糖果分給他們，但希望小朋友們能幫他把所有的枯枝敗葉撿起來，堆在花園門口，不到一會兒，樹葉就全被撿光了。

這時，皇家陶工為了燒製皇家餐具，正在尋找柴火。他立即就把這些枯枝賣給了陶工，因此又賺了一筆錢。

行銷基本功

從這個故事可以看到，成功的關鍵在於——善於發現產品的價值。在最合適的時機點，把最合適的產品賣給最合適的人，很容易就能產生出最大的效益，而這個過程，也就是尋找市場的過程。行銷者應將眼光放遠，不輕易放棄任何可以增加交易的機會。

一、用心認識更多的人

一天當中，你和幾個人談過話呢？

一位著名的行銷大師說得很好：「做生意的秘訣是什麼呢？很簡單，就是儘量去接觸更多的人。」

作為行銷人員，不外乎就是為了賺錢。而賺錢的根本是什麼呢？答案非常簡單，就在聚集人氣的地方。錢終究是錢，它沒有生命，不會自己動，而能運用錢的人就只有人類。所以，若想要將業績拉長紅，就要創造更多接觸人的機會與場合。

日本著名商人豐田伊男說：「社會上的物資充沛得幾乎要溢出來似的，不要以為市場上有絕對獨占，任何行業都一定會有競爭對手。要如何招攬忠實的客戶群呢？要如何才能吸引錢潮呢？這裡有一個非常清楚的答案，反正是買同一種商品，倒不如向認識的人、常去的店購買較為安心。所以，讓更多的人認識自己，就是『做生意的根本』。工作上一有空閒，我就會到外面去走一走、拜訪客戶，但是都沒有談及工作上的話題，而是精神奕奕地打招呼：『你好！』『好久不見！』『最近好嗎？』」

原來，人類等於客戶等於消費者。買的是同樣的東西，當然是到自己認識的地方購買會覺得比較安心，這是一種很本能的想法。比方說，有一個賺錢的機會，或是有一份需要有人來完成的工作，你第一個想到的人選，肯定是自己認識的人。

所以，一天結束之後，你要回想自己今天到底和多少人談過話？認識了幾個人？接著便立定第二天的目標，就是要和更多人說話、要認識更多的人。因為，金錢和認識的人多寡成正比。

二、不屈不撓突破客戶的門戶

許多業務員常抱怨他們所遇到的一些「久攻不下」的客戶。「簡直頑固透了，不管你如何去拜訪、說服他，幾年下來都不見成效。」「看到推銷員就『你來幹嘛！我很忙，回去吧！』實在令人開不了口。」「還說呢！我這客戶不管去拜訪幾次，都不肯與我會面。」諸如此類的狀況，你可能聽多了，似乎就此成為一個不能解決的難題，一旦碰到這種客戶，似乎也只有放棄一途了。

事實上真是如此嗎？不也曾聽過一些意外的插曲——某位頑固的老太太，受了推銷員誠意的感動，買了很昂貴的產品；也有的情況，是在幾十次的會面後，奇蹟似地談成生意，得到很大的利益。各種例子都有，過程曲折離奇，但原則不外乎是在推銷員不屈不撓的精神，不斷向客戶進攻，才能開花結果。

當然，與你交往了好幾年的客戶，也許不曾對你惡言相向，一向是非常和藹，卻不曾與你交易的客戶也不是沒有。對於這種客戶，給你的建議——不必與之斷絕來往。這種關係原本是建立在雙方「取」與「予」的關係上，對方也許是冀望從你身上獲得資訊，而你則希望與之交易獲得營業成果。有這種不具業績壓力的客戶，倒也不必強迫自己全然放棄，視之為工作以外的人際收穫即可。

最重要的是，不管透過何種手段，一定會有成功的辦法。天底下沒有久攻不下的客戶。如果無法跟本人商談，那麼透過其他的管道，也是可能達到目的。成與不成，完全在於你的意念是否堅定，足以支持自己去做的恆心。所以，如果天底下有談不成的客戶，也可以說只存在於你的心中罷了。

三、用心增加拜訪量，提高成交率

拜訪客戶數×成交率＝銷售件數。

從這個簡單公式看來，想要提高銷售數量的話，只要提高拜訪客戶數或成交率便可。但從銷售活動的根本來說，一開始須先增加拜訪的客戶數，尤其是對一名新進人員來說，無論如何都應增加拜訪客戶的次數，以吸取更多經驗，擴展人際關係。

有一位林先生，他非常主觀地認為，要提高銷售額，首先得提高成交率。他所持的理由是，如果不能提高成交率，就算拜訪的次數增多，也無濟於事。於是，林先生就依照自己的方法去做，短時間內，業績果然是提高了，而周圍的同事也覺得他的主張有道理。但他的上司柯先生，卻非常反對他的看法：「以你的做法，雖然能立即提高業績，但長久下來，只會下降不會上升的，一定得增加拜訪客戶數才能拓展預定客戶。」柯先生認為業務員最基本的工作，就是頻繁地拜訪客戶。要想增加拜訪客戶的數量，就必須濃縮每一位客戶的拜訪時間，這是很重要的。

我們只要依步行的速度，便可判斷這個人是否能成為優秀的業務員。步行速度很快的人，便表示他從客戶與客戶之間的移動時間極短，顯示他是個優秀的業務員。即便是銀行的業務員也是一樣，動作若不快一點的話，一天之內就差別人二十至三十戶左右，以一個月二十個工作天來算的話，便有四百至六百戶如此大的差別了。相信一名優秀業務員，拜訪一戶所花的時間，大致都很短。就以銀行的狀況來說，開發一個新客戶，不會超過十五分鐘以上。若超出這時間的話，就會婉轉地告訴客戶：「打擾您了，改天我再來拜訪。」

在適度的時間內結束拜訪，可使自己和客戶之間有簡潔明快的晤談印象。雖然拜訪的時間很短，但客戶並不會對你有所不滿，反而對你行動敏捷、做事有條不紊的積極態度，留下好印象。

四、抓緊顧客「心動」的時機

當顧客產生「心動」的感覺時，是銷售過程裡所謂的「黃金時期」。產品成交與否，往往取決於業務員能否抓住這個良機。

敏銳地觀察客戶的心理狀態，是一名傑出業務員必備的條件。因為唯有看透客戶的心理，才能掌握先機，獲得高人一等的成績。

我們知道，在銷售的過程中，好的業務員勢必能牽引客戶的購買心理，讓客戶的防護層逐漸消失，最後終於達到你的目的，簽名蓋章而完成交易。但是要如何掌握住顧客「心動的剎那」呢？要如何察覺出這種心理狀況的改變呢？

- 從「挑三撿四」的批評，轉為「默許或點頭」的態度。
- 看著產品仔細觀察和沉思。
- 目不轉睛地翻閱商品目錄和說明。
- 對你出現比先前和善而親切的舉止。
- 詢問品質和價格等。

一般菜鳥型的業務員常在第二種情形出現時，就搞丟了生意。他誤以為這時正是展現三寸不爛之舌的良機而喋喋不休，結果客戶原本「心動的感覺」，一下子就被嚇跑了。試想，假使你是客戶的話，你希望在做決定和考慮時，有個囉嗦而掃興的業務員打擾你嗎？

所以雖然客戶「心動感覺」的產生，往往是交易成功的前哨，但仍然不可過於急躁而錯失良機，應儘量給客戶一種主導的心理，從旁配合即可。

像前面那個例子，業務員得沉得住氣，等客戶先開口。當他提出疑問或批評時，再套用「謝謝您……」的絕招，一再地推展，必可使你邁向簽約成交之路。

至於其他現象，也是銷售的契機，暗示著客戶很可能有購買的意願，千萬不可輕易放過。

因此，在訪談客戶銷售產品的時候，儘量將你身上的全部注意力集中在客戶身上，打開你身上所有的感覺接受器，仔細地觀察和接收客發戶發出的心理訊息。如此一來，上述「心動的感覺」，必定牢牢在你掌握之中。

值得一提的是，無論你在銷售過程中成功與否，都要時時分析和檢討原因，長久累積下來，必能創造出一套適合本身的理論，成為一個傑出的業務員。

五、當場購買成交法

如果商談已發展到有利的階段卻還是失敗，主要原因有二：

1. 業務員無法確切地回答對方所提的疑問。

2. 在商談的關鍵階段，業務員沒有防範客戶可能提出的拒絕。

業務員在進行商談前，務必提醒自己防範客戶在商談中出現的反駁，並應預測客戶可能出現的反駁，同時不要忘了使用強力的銷售用語。

商談過程中，客戶會向業務員提出各種疑問，此時，業務員必須誠懇認真地聽，並儘量完整回答客戶的質問。如果隨便敷衍，客戶縱有購買之意，亦會斷然拒絕。確認客戶拒絕的真假程度，也是很重要的。面對「我再考慮一下！」「我和先生商量看看！」這樣的拒絕語，你就回答：「明天此時我會再來拜訪，聽您的好消息。」如果客戶有心拒絕，一定會說：「哦！你不用來了」，有購買意願的客戶則可能會說：「好，那麼到時候我再做決定。」

至於「沒有預算」這一類的拒絕話，多半不是真正的原因。到了最後關頭時，請切記善用下列法寶：

1. 有限的銷售期限。
2. 以特別價格來銷售。
3. 商品數量有限。
4. 環境條件惡化（原料，能源漲價等等）。

強調這些事情後，再補充「無論如何！請您現在就給我一個答案吧！」請對方下定決心，做最後決定。

六、傳統行銷成交法

一大早，樓下鄰居太太就在那兒吆喝著，快點去「領米粉」；接著就看到一大群人三三兩兩前往菜市場，有些人還帶著孫子一同前往。問他們在做什麼？他們會告訴你，他也不知道，只知道去聽演講，就可以領到一包米粉或其他小東西。另外許多太太們一大早還會互相打聽，看下一場在哪裡辦，自動自發前往，當起「職業聽眾」。

就這樣一個一個往人多的地方去，而你向前一看，原來是個賣藥的正在積極吆喝著他的商品有多好，一連下來你會看到同一時間同一地點都圍繞著同一群人，這些太太們也會邀請還不曉得的鄰居朋友們一同加

入，而老闆也在回家後數著大把大把別人為他宣傳所賺來的錢呢！這就是過往傳統的行銷手法，大約分為下列幾點：

1. **抓住貪小便宜的人性弱點**：一般在從事行銷活動的人都知道，最頭痛的事，就是要怎麼做，才能吸引一大堆客戶上門。因此，就有許多人會在火車站或捷運站出口，分送印有宣傳資料的「面紙」，讓路人願意拿這些傳單。而賣藥這些業者就抓住中老年婦女貪小便宜心態，贈送每包成本不到十元的米粉或其他小東西，讓整個產品發表會有最基本的「聽眾」，而且他們都不會中途離席，使場面太過冷清，因為要等發表會結束，才能領到贈品。

2. **用低價商品掩護高價商品**：基本上業者心目中早已經設定好要銷售的高價主力商品，可是他們絕不會一開始就先從高單價商品促銷起，反而會選定一些低價商品，先做暖身運動，把場子炒熱了，再趁機推出高單價商品；而且在推出這類高單價商品時，一定會說這是前幾天沒有買到的觀眾，所提出的要求，說這麼有效、這麼好的產品沒有買到真的是太遺憾了。在一陣產品說明之後，只聽到小伙子說：「因為太珍貴，所以數量有限，不過在經過與公司老闆不斷協商下，決定只賣前三名顧客。」事實上，如果有人願意買，絕對不會是「只賣三瓶」！

3. **現場見證人**：在這類產品發表會上一定會出現這樣的對話：「這位老伯，你買回家的酸痛藥布貼了之後，效果是不是很棒？」不相信的人，待會可以問問用過的鄰居，看效果有沒有我說的這麼好！另外，「鼓掌部隊」與「附和大隊」一定同時存在。一旦主持人問到用了有沒有效，臺下就可以聽到「有效」，或者當主持人說到這些藥品的功效多神奇時，一定會有人出聲或鼓掌叫好。這些都是業者自備的基本動員部隊。

4. **心戰喊話**：由於聚集來的觀眾不會像一般路邊的流動「秀場」，觀眾不會稀稀疏疏、進進出出，很容易利用固定人群所形成的「劇場效應」，對現場觀眾加以心戰喊話，並進行催眠。例如，主持人一定會適時強調，今天現場來了數百位觀眾，比昨天還要多，尤其是昨天許多人沒有買到產品，今天一大早就來搶位置，免得又搶不到想買的商品。其實這類產品發表會的演出空間，可以說是「既開放又封閉」，開放指的是，利用露天空間舉辦；封閉指的是，藉由贈品最後才發放的動作來留住觀眾。結果不但觀眾來了之後會乖乖聽完一至兩小時的產品發表會，路過的行人也很容易被聚集的人潮所吸引，加入而成為觀眾的一員。

5. **給你椅子**：過去賣藥大都打「武術牌」、「動物牌」或「美女牌」，透過武術表演、現場殺蛇、殺鱉、美女脫衣秀等方式來吸引觀眾，不過從來沒有替觀眾準備座椅，結果人潮就會像海水一樣，由這一攤跑到另一攤，看哪一攤的內容精彩，就往哪裡去。現在業者主動幫觀眾準備好紅色小型塑膠椅，一方面可以讓年紀大的觀眾「坐得住」，同時坐下以後也不敢亂動，就像一堆人進入音樂廳聽演唱會一樣，不敢亂動，讓業者可以按照既定課表操課。

6. **鎖定特定客層**：景氣這麼差，可是人活著總要吃、會生病要吃藥，這和景氣好不好沒有太大差別。尤其是老年人特有的酸痛症狀及肝病，常伴隨著臺灣社會高齡人口比例，快速增加。業者便鎖定這群人的需要，經過改良到府銷售策略，直接把行銷戰線拉到消費者家中附近的菜市場或公園，再經由「釣魚式行銷手法」，先把潛在消費者聚在一起，透過計畫性行銷手法，進行洗腦工作。過去傳統賣藥都是採取被動地等客戶上門的行銷手法，可是現在的推銷員卻是主動出擊，直接把商品攤在客戶面前進行銷售，而且透過集體催眠及劇場效應，以擴大行銷訴求。

7. **訴諸情感**：在電子商務行銷過程中，雖然帶給人們許多便利，可是最大遺憾就是，交易過程中缺乏情感，消費者無法感受到來自業務員的「熱情」與「尊重」。然而，傳統行銷手法卻是非常重視這些因素，相當強調要用「感情」來打動消費者；尤其是對中老年人而言，他們更希望被尊重。利用對他們的一些肢體動作來表示，使得這些老年人輕易地就拿出錢來買一些自認為「需要」的商品。

七、團隊力量成交法

一個業務員能否成功地進行行銷，大部分取決於自身的行銷能力，但從來沒有一個人可以說是萬能的。身分、地位、形象、性格、涵養、知識，乃至口音等諸多因素，對行銷產品都有著極其微妙的影響。聰明的業務員會充分利用各種因素進行行銷，直至達成最終的交易目的。

如果你不是單槍匹馬打天下，就可以好好利用團隊優勢，讓每一個成員都最大限度地發揮特長，使對方在沒有察覺的情況下，接受你的商品或方案。

比如，一種商品最多可以優惠二成，但是不能一開始就說出優惠底線，否則對方肯定還想再壓一壓。在這種情況下，先由行銷專員出面，在價格問題上據理力爭，一點一點地承諾予以優惠，到一成五左右堅決守住防線，絕不鬆口。雙方經歷一場令人疲憊不堪的談判後，就該輪到行銷經理出面：「我們的行銷專員不瞭解您是我們的老客戶，所以和其他客戶一樣對待。不如這樣吧，為了保持我們雙方良好的合作關係，給您一成八的優惠！」這樣利用團隊分工合作，就比較容易成交了。

八、參與銷售成交法

在現代社會裡，女人通常都扮演著弱者的角色。在事情決斷方面，往往不如男人，再加上生理作用，女人常常情緒不穩，心情搖擺不定，雖然擁有很多計畫與夢想，卻無法付諸行動。所以，女人是必須有人在其背後推一把的。而業務員正是可以在女人背後推一把的人，所以我把這種銷售命名為「參與式銷售」。

為了能讓讀者更清楚瞭解什麼是「參與式銷售」，接下來，我舉一個實際的例子來說明。

王美麗目前在國泰人壽保險公司擔任業務經理。有一次，她談到她的親身經驗。大約在四年前，她向一位輔仁大學教授介紹小孩的教育保險，剛開始推銷時，女主人似乎無動於衷，不管王小姐如何說明，仍無法打動她的心，後來話題聊到孩子時，母親抱怨著說：「這個孩子一點都不像他爸爸，倒像我一樣頭腦不太好，我真擔心，將來他怎麼像他爸爸一樣成為一名學者呢？」

王小姐吃驚地說：「你們擅自決定他的未來，而沒有考慮到他的興趣，當然無法激發出他的潛能。也許你們夫妻都希望他像爸爸一樣成為教授，但妳有沒有想過，如果不是受到周圍環境的壓迫，也許孩子會考上醫學系也說不一定。如果考上醫學系，加上每學期的生活費、住宿費等等，是一筆龐大的開銷，想想，如果他畢業後自己出來開業，那時又需要一筆創業的資金。」

就這樣一語驚醒夢中人，她把這位母親對孩子的期望拓寬了，於是這位媽媽滿懷期望地準備資金，並且鼓勵孩子當醫師。三年後，她的孩子考上了陽明醫學院牙醫系。

王小姐就是針對母親望子成龍的心理，不斷向她推進，誘導出她的期望並且鼓勵她，結果不僅說服了這位母親投保，還真正付諸行動。這才是行銷的最高境界，王小姐不但實現了這位母親的夢，更是親自參與了這個夢的實現，她不但把保險銷售給客戶，更把幸福與喜悅帶給了客戶。

九、寵物成交法

「寵物成交法」這一技巧是源於寵物店的老闆所使用的技巧。寵物店的老闆發現小孩子常常吵著母親為他們買寵物。有時父母怕麻煩，並不想養寵物，但經不起孩子的吵鬧，所以就帶著小孩子到寵物店去隨便看看；而當小孩子看到一個非常喜歡的寵物而愛不釋手時，這時父母通常會抗拒購買，此時寵物店老闆就會很親切地告訴父母和孩子：「沒有關係，你們不需要急著買，你們可以把這隻小貓、小狗先帶回去，跟牠相處個兩三天，然後看看你們是不是喜歡這隻小狗或小貓。過兩、三天以後你們再決定，如果不喜歡，可以把牠再帶回來。」

所以當父母與小孩子帶著一隻可愛的寵物回家，經過幾天後，全家人都愛上了這個小寵物，所以父母只好掏錢買了這隻寵物。這就是所謂的「寵物成交法」的來源。很顯然地，並非所有行業都適用這個「寵物成交法」，但是愈來愈多公司的行銷策略是，想盡辦法將其產品送到購買者手中試用，這已成為行銷過程的一部分。

「寵物成交法」在銷售有形的產品時比較適用。所謂的「有形產品」指的是那些可以看得到、摸得著、有具體形象的產品。

所謂的「寵物成交法」指的是，讓客戶實際地觸摸或試用你所銷售的產品，讓他們心中感覺這個產品已經是屬於自己的那種感覺。

有個專門銷售辦公設備的公司運用這種「寵物成交法」，而使其銷售額大幅度提高，從而領先其他同行。做法非常簡單，他們並不是招募非常有技巧的業務員。只是派人到潛在客戶的公司介紹他們的產品，然後讓客戶選擇他們認為有興趣的產品，之後再免費將這些客戶有興趣或需要的產品放在他的辦公室裡，讓客戶免費試用一週。

依照銷售心理學的研究發現，當產品交到客戶的手上，並使用一段時間後，甚至只是短短幾天，在他的內心就會產生一種認為該產品已經屬於自己的感覺，而業務員要再來把這種產品拿走時，他的心理總會有些不習慣，而且自然當他心裡已經習慣這種產品是屬於他的時候，就更容易做出購買的決定。

因此，有可能的話，先讓客戶試用你的產品，這樣他會更容易做出購買決定。

全世界最大的日用品銷售商安麗公司，也曾經使用過這樣的方式。他們要求直銷人員去拜訪客戶時，每人手上提著一個產品試用袋，在他們拜訪客戶時，會先將這些裝滿各式各樣產品的試用袋交給客戶，告訴客戶可以隨意試用袋子裡的任何產品，而且都是免費的。過了幾天或一週後，直銷人員會回訪這位客戶，詢問客戶對這些產品的使用心得，或是需要協助的地方。安麗公司僅僅運用這樣的方式，就使該公司創造了驚人的銷售額。

他們由統計資料得知，如果準客戶能夠在實際承諾購買之前，先行擁有該商品，交易的成功率將大為增加。

在你尚未付錢之前，如果試穿一件新衣裳，看見了自己穿上它的樣子……那種感覺，那種外形，還有營業員的讚美，這些事情的影響力遠遠超過價錢。你幾乎可以看見自己穿著新衣走進辦公室的情形……，於是你說：「好吧，我就買這件。」

十、促銷成交法

每家商店或業務員賣的商品或許大同小異，除了商品本身的品質與業務員的服務及專業態度之外，影響購買數量及業績的，應該就是商品價格所附帶的價值為多少了。當然，利用促銷的方式，不僅能增加銷售量，還能利用此時最容易聚集買氣的時刻，順便幫商品做一次完整的介紹，如此的方式，依照女人們最會比價的心理，讓她們告訴其他的親朋好友，達到宣傳的目的。

促銷的方式：

1. **折價**：這是一種減價促銷的方式。即是在特定的期間內，例如百貨公司的週年慶、各種國定假日或換季之時，企業為了刺激消費者購買欲，針對某些商品給予不同折扣。

2. **免費樣品或服務**：免費樣品是一種試用品，係針對潛在的顧客來發放，讓他們試用公司的產品，使之對產品有所瞭解，進而刺激未來的購買行為。例如對學生市場，文具商會發放一些文具用品如原子筆、鉛筆等讓學生試用，或是在準媽媽教室中贈送免費的嬰兒用品。

3. **優待券**：優待券通常會用「積點」或是「折價」的方式來進行促銷。積點是在消費滿若干金額後，即給予一點數，而在累積到某一定點數之後即可兌換贈品。

4. **贈品**：贈品或禮物，都是以低的成本來提供，以作為購買產品的一種誘因。在消費者購買某一商品達到一定數量時，廠商通常會給予一贈品。企業的做法是在贈品上印上自己的名稱或是商標，以加深消費者對企業的認知。

5. **抽獎活動**：這是企業在大型促銷活動中最常用的方法之一。在此活動中，可以給予消費者贏得現金、汽車、旅遊或其他商品等的機會。通常的做法是，客戶在購買到一定金額產品後，給予一張摸彩券，再寫上姓名、聯絡位址和電話後，投入摸彩箱，在某一時間公開抽獎。

6. **聯合促銷**：這是一種策略聯盟共同促銷的方式。企業之間會利用某一較知名廠商做促銷時，其他公司趕來插花。如，報紙在促銷時，即訂閱一年給予一些優惠待遇，而這些優惠的商品價格，可能是來自另一企業的產品，例如：訂報一年再加若干錢，即可獲得筆記型電腦一部。

十一、網路搜尋成交法

在網際網路使用率最高的美國，其商業化行為的出現約在四、五年前，而網際網路在臺灣開始風行也不過三、四年的光景。隨著網際網路的興起，「網路行銷」也成了被熱烈討論的新話題。相較於傳統的行銷理論與概念，「網路行銷」不只另類，更是新奇無比，而其背後牽涉了相當多的「電腦的操作」、「網際網路的原理」、「軟體與硬體的搭配組合」，以及「非傳統概念的行銷原則」等傳統行銷領域中的所謂高科技成分。

就網際網路而言，這是一個高消費族群的市場。其上網人口無論在經濟、教育和社會等條件均高於一般水準，消費能力無可比擬，且是一個不斷成長的大市場，成長率驚人，商機無窮，並不受時間、地域的限制，無時無刻不斷地行銷，是一個可明顯區隔的市場。針對特定目標客戶行銷，效果事半功倍。而網際網路是一個低成本的行銷工具，行銷成本低於目前各項媒體及通路，但效果卻是傳統媒體通路的數百倍。

網路最獨特的地方是具有充分溝通的互動性和即時性。互動性是網路行銷最吸引人的部分。過去與消費者之間的互動大多以廣告回函、直接郵寄或者CALL－IN等方式來表現。而在網路上可以運用各種巧思的設計與消費者之間產生互動，例如，舉辦有獎徵答，藉由高度而持續性的

接觸，強化消費者對商品的瞭解與認知。

「先給後拿」是網路行銷必須思考的行銷策略。由於網際網路的通訊特色，因此藉由網路提供各地的潛在客戶所需要的資訊或服務，只需花一筆小錢，就能贏得這些潛在客戶的歸屬感，而當他們必須經常瀏覽你的網站同時，不僅增加了你們之間的互動性，你也擁有比別人更多的商機，這個策略的思考正是著眼於——你必須先「給」，吸引更多人到你的網站；後「拿」，只有在增加上網潛在客戶的前提下，你才能掌握商機。

既然網際網路有以上這些優點，究竟網路有沒有什麼限制？或者說，網路到底有沒有國界？以下是從消費者與生產者的角度來探討。

1. **網路資源並無地理位置的限制**：網站的設立位置並不重要，重要的是「對誰傳播」。

2. **對網路使用者來說，沒有網路的國界，只有求知的極限**：對網路用戶來說，唯一的限制是語言，而這點可以說，臺灣有全世界最優渥的條件。因為一定教育程度以上的人，中文與英文的程度都不錯，也就是說，同時可以看的網站，比其他國國民要多很多。雖然目前英文是強勢語言，好的網站許多都是英文，但是只要中文人口增加後，激勵更多的中文網站出現，同時能讀中文與英文的網路用戶，將享有更多的機會。

3. **對網站經營者來說，充實的內容是最重要的**：以美國、加拿大或其他英語系國家的網站為例，因為語言相通，各網站所提供的內容亦能相通，間接促使彼此市場也能互通。同樣的道理，一個網站只要提供的是中文資訊，當然可以以全球華人為假想市場，許多熱門網站，如中時電子報就有足夠的世界華人知名度。此時，國界已不再重要，重要的是，你的內容值不值得。

最後，對欲從事純網路事業的企業來說，不能不注意到一個現實，這個現實可以「好萊塢理論」來說明。何謂「好萊塢理論」？「好萊塢」是由大量的金錢和焦點所堆積出的集中。集中於什麼呢？集中於明星身上。所以如果用「好萊塢」模式來看Internet時，現在正出現了這種傾向。它的確累積了大量的興趣、資金、焦點，但是到最後它必須塑造出明星來，所以在整個網路商場經營到最後，可能只剩下少數的網站可以生存，好比說只剩下一兩家的網路書店、一兩家的ISP、一兩家的入口網站。

這種「大者恆大」的模式，除了ISP，其他的市場也是如此，例如網路書店、網路新聞站等，因為只有前幾大才能有獲利、方能生存下去，也因此會壓縮小網站的生機，到時就只有兩個選擇，第一、自行退出；第二、等待併購。這是個殘酷的事實。

由於網路的快速發展和資訊的爆炸，無可否認地，利用搜尋引擎來尋找想要的資訊，已經是許多人上網的首要選擇。因此，面對廣大的搜尋網友，搜尋系統可說是協助企業推展網站非常重要且經濟有效的管道。尤其是對國際企業、外貿廠商來說，由於國際行銷費用所費不貲，國際搜尋系統已成為企業網站行銷世界不可或缺的主要媒介。如果企業網站無法在搜尋系統上輕易地被網友尋獲，那麼網站的效益和價值將大打折扣。

也因為搜尋系統在網路上的地位日漸重要，利用搜尋行銷的概念也因此應運而生。重點就是替網站在搜尋引擎上、一些重要關鍵字的搜尋結果上有比較好的排名，以便網友更容易看見並點進網站瀏覽內容。

對於網站，許多人總是認為將網站設計得精緻美麗，或是光彩炫麗，期待王子與公主從此就過著幸福快樂的生活。但是，網站如果沒有考慮到搜尋檢索的方便性，那麼，再漂亮的網站恐怕也只能成為深宮怨婦，得不到世人的關愛。

搜尋行銷並不是天真地去搜尋一些基本資料來登錄網站，然後就可以等著客戶或網友上門，而是從網站的架構、網頁的結構、內容、文案等許多層面來做各種分析和規劃，以便搜尋系統能夠更容易地檢索網站或網頁。

事實上，網路行銷是有其邏輯和規矩必須瞭解和遵守。即便是到搜尋系統上登錄網站資料，也有許多專業的觀念和方法才能讓網站更容易被接受，也才能在一些關鍵字的搜尋結果上有更好的排名。

激起消費者的需求

不論從事什麼行業，經營什麼生意，你一生成敗大都依賴本身的行銷能力，給人們留下深刻印象的總是能獲得勝利。要做到這一點，就需要你動用小智慧，而最簡單最直接的辦法就是——廣告。

廣告宣傳對於生意到底有多大的影響？聽聽一位美國記者的見解：「如果給我足夠的經費，我就能將一塊磚頭以金條的價錢售出。」誇張歸誇張，但廣告的力量卻可見一斑，廣告有可能讓你的生意起死回生。

1.激發客戶的好奇心

英國小說家毛姆剛剛發表作品時，一直過著貧困的生活。在窮得走投無路時，他用了一個奇怪的點子，結果居然扭轉了劣勢。

在尚未成名之前，他的小說乏人問津，即使出版社用盡全力來促銷，情況依然沒有好轉。眼看自己的生活愈來愈拮据，情急之下，他突發奇想，用剩下的一點錢，在報紙上登了一個醒目的徵婚啟事：

「本人是一個年輕有為的百萬富翁，喜好音樂和運動。現徵求和毛姆小說中女主角一樣的女性共結連理。」

廣告一登，書店裡的毛姆小說很快就被一掃而空。一時之間，洛陽紙貴，紙廠、印刷廠、裝訂廠必須加班，才能應付這突如其來的銷售熱潮。

原來，看到這個徵婚啟事的未婚女性，不論是不是真的有意和富翁結婚，都會好奇地想瞭解女主角是什麼模樣；而許多年輕男子也想瞭解一下，到底是什麼樣的女子能讓這名富翁這麼著迷，再者也要防止自己的女朋友去應徵。

從此，毛姆的名氣大增，書籍的銷售量也一直居高不下。

行銷基本功

這是一個成功推銷的例子。主要是廣告宣傳做得妙，激發了客戶的好奇心。在行銷過程中，使用一些奇招，往往可以收到出乎意料的效果。像大樂透的廣告──「曉玲，嫁給我吧！」其行銷的操作手法就和毛姆很類似，而這個廣告在推出時，也是引起一陣話題。

2. 想辦法鼓勵消費

有一家生產牙膏的公司，其產品優良，包裝精美，很受消費者喜愛，營業額連續十年遞增，每年的成長率都在百分之十到二十之間。可是到了第十一年，企業業績停滯了下來，第十二年、第十三年也都是這樣。公司經理急忙召開高層會議，商討對策。

在會議上，公司總裁承諾：「誰能想出解決的辦法，讓公司業績成長，就有獎金五十萬元。」

這時，有位年輕經理站了起來，遞給總裁一張紙條。總裁打開紙條，看完後馬上簽了一張五十萬元的支票給他。

那張紙條上只寫了一句話：「將牙膏開口擴大一毫米。」

人們每天早晨習慣擠出同樣長度的牙膏，牙膏開口若擴大一毫米，每個人就多用了一毫米寬的牙膏，如此一來，每天牙膏的消耗量將多出許多！

於是公司立即開始更換包裝。接下來的一年，公司的營業額增加了百分之三十二。

一項小小的改革，往往會收到意想不到的效果。

我們常常生活在一種習慣裡。面對生活的變化，我們常常習慣於過去的思維模式，這樣思路就狹窄，許多事情就會想不開，也想不到，也就是自己跟自己過不去。

其實只要把自己的心徑擴大一毫米，你就會看到生活中的任何變化都有其積極的一面，都充滿了機會和挑戰。

行銷基本功

提升產品銷售量的方法很多，鼓勵消費就是很重要的一環。那麼，該如何鼓勵消費，以刺激銷售量呢？不妨參考上例，試著將既有的牙膏開口再擴大一點，也就是說將既有的行銷擴大，你可以由點到面，面到線，再由面到網，那麼伴隨著開口的擴大，你的商機也就因此被拓展開來，就是這麼簡單。

3.打破舊思維的束縛

世界上生產的第一臺電風扇是黑色的。電風扇剛問世初期著重在實用，而並不講究造型及色彩，一律是黑色鐵製的，之後竟也就形成了一種慣例。每家公司生產的電風扇都是黑色的，似乎不是黑色，就不能被稱為電風扇。長久以來，人們的認知中也就形成電風扇是黑色的這個概念。

一九五二年，日本東芝電器公司囤積了大量的電風扇，始終銷售不出去。公司七萬多名員工為了打開銷路，想盡了辦法，可惜進展不大，全公司陷入一片愁雲慘霧中。最後公司的董事長石阪先生宣布：「誰能讓公司走出困境、打開銷路，就把公司百分之十的股份給他。」

這時，一個最基層的小員工向石阪先生提出，為什麼我們的電風扇不能是別的顏色呢？石阪先生非常重視這個建議，特別為此召開了董事會。大家都說這個建議很荒謬。後來，石阪想死馬當活馬醫，姑且一試。經過一番認真討論與研究之後，第二年夏天，東芝公司就推出了一系列的彩色電風扇。而這批電風扇一推出就在市場上掀起一陣搶購熱潮，幾個月之內賣出了好幾萬臺。結果，彩色電風扇銷售奇佳，扭轉了東芝的命運。

從此以後，世界上任何一個地方，電風扇都不再是一副黑色面孔了。

彩色電風扇的熱賣，連帶使東芝公司大量庫存滯銷的產品，一下子就成了搶手貨，企業也擺脫了困境，效益更是成倍增長。

改變顏色這一設想，並不需要有什麼專業知識，也不需要有什麼豐富的商業經驗，那為什麼東芝公司的幾萬名員工沒有想到？為什麼日本和其他國家成千上萬的電器公司沒有人想到，也無人提出？

這顯然是因為，自有電風扇以來它就是黑色的，雖然沒有一部法律規定電風扇必須是黑色的，但人們的認知已經被固定住了，認為電風扇就是黑色的，似乎不是黑色的就不能叫作電風扇。

而這位小員工卻打破了「黑色電風扇」的迷思，大膽提出「電風扇為什麼不能是彩色的？」這種新想法，打破窠臼、創造新視界，進而使電風扇的世界變得更加多彩多姿。

行銷基本功

怎麼樣才能讓自己的產品在同類中脫穎而出呢？有的商家靠價格，有的靠宣傳，還有的靠推銷。其實，有時並不是商品不好，但由於產品太多，而市場的需求是一定的，平均分給每個店家，大家的銷量就小了。因此，產品要有一定的品質，更要讓產品顯得與眾不同、別具一格，才能讓產品賣得更好。

4.找出自己商品的賣點

沙漏其實是一件古老的器具，它在時鐘未發明前，是用來測量時間的。時鐘問世之後，沙漏完成了它的歷史使命，但卻有一個人將其視為一種古董玩具來生產銷售。然而，以沙漏作為玩具，趣味性不強，孩子們一下子就玩膩了，因此銷量很小。後來，沙漏的需求愈來愈少，這個人的沙漏幾乎要被迫停產了，他因此感到非常苦惱。

有一天，他看到一個路人在使用公共電話，因為無法控制話費而苦惱，一個構思立刻浮現在他的腦海——做個限時三分鐘的沙漏。在三分鐘內，沙漏上面的沙子就會完全落到下面來，把它裝在電話機旁邊，這樣打長途電話時就不會超過三分鐘了，也就可以有效地控制電話費。

這個東西的設計非常簡單。先把沙漏的兩端嵌上一個精緻的小木板，再接上一條銅鏈，然後用螺絲釘固定在電話機旁就行了。不打電話時，也可以作為裝飾品，看它點點滴滴落下來，雖是微不足道的小玩意，卻也能調劑一下現代人緊張的生活。

擔心電話費支出的人很多，而這種沙漏不僅可以有效控制通話時間，售價又很便宜，因此一上市，銷路就不錯。這項創新，使看似沒有前途的沙漏瞬間成為對生活有益的用品，銷量也日益增加，面臨倒閉的小工廠很快就發展成了一間大公司。

行銷基本功

找出自己商品的賣點，然後再結合消費者的需求銷售出去，這就是商品暢銷的根本。然而，商品的發光點卻不是一下子就被發掘出來的，這時就需要挖掘商品的賣點，然後圍繞這個做文章。如同Windows 2000系統的推銷，起初微軟是想將它作成一個家庭平臺，可是在後來的測試中卻發現，它是一個極佳的遊戲平臺，於是索性改變策略，將它往遊戲方面發展，最終獲得成功。

5.在定位市場裡銷售

法蘭西萊克食品公司，主要經營一些比較昂貴的送禮用食品，在市場上的售價比較高。

公司剛開業時，總裁覺得與其開個零售門市在大街上等人來買，還不如主動出擊，自己去找顧客；於是他並未設立零售門市部，而是聘請了一批機靈、活潑的推銷員，專門探聽富人的生日、婚嫁、待客、探親、訪友等日期及社會關係，然後在這些日子快到的時候，逐一上門，呈上送禮清單，方便他們自由選購。

如此奇特的促銷模式，使這些富人們覺得相當貼心與感動。他們在接受這些禮單的時候，還紛紛提供了一些自己親朋好友的訊息，讓公司有了更多的客戶。

於是，在很短的時間內，公司的經營狀況有了明顯的進步。

以一位富翁的生日為例，在數十件祝壽禮品中，該公司售出的禮品竟占了九成，這些禮品堆在一起，簡直成了萊克公司的「凱旋門」。

萊克公司的總裁也像當年的拿破崙一樣，得意地炫耀說：「我的錢是用一張張薄的紙片換來的！」

行銷基本功

我們非常佩服這個食品公司的市場分析能力。它是先定位好自己的產品層次，然後採取相應的銷售模式。這個步驟看起來並不難，實際上卻需要有敏銳的市場觸覺和極強的處理問題能力。我們要從中學習的是，首先清楚自己的產品在市場中處於什麼樣的地位與價值，之後在具體的銷售方面就會容易多了。

6.迎合客戶需求

一九二一年，嘉爾文（Paul V. Galvin）看好蓄電池在汽車和收音機市場上的無限潛力，於是他與約瑟成立了「史華電池公司」。然而，這家公司只維持了三年便宣告破產，之後嘉爾文遷居到芝加哥。雖然此舉並未成功，卻顯現了嘉爾文迎合客戶需求的經營謀略。

一九二六年，他看好「B」型整流器，於是又加入這一事業之中。這種「B」型整流器一進入市場後，幾百萬人便可以用整流器來取代零售價較昂貴的電池。然而，由於整流器技術的不健全，大量的退貨使嘉爾文又陷入了困境。為了挽救公司，他們設計出一種新的產品，可惜為時已晚，債權人已訴請法院勒令公司關門，並被迫要將整流器設計圖和設備拿出來拍賣抵債。

性格堅強的嘉爾文並未因此而垂頭喪氣，相反地，他對新型整流器的前景充滿信心。當嘉爾文獲知一家郵購公司有興趣將這項產品刊登在郵購目錄上時，便當機立斷，與弟弟湊了一千美元，在拍賣會上擊敗了所有的競爭對手，以七百五十美元的價格買下了自己的整流器設計和生產設備。

數星期之後，在伊利諾州芝加哥市哈里遜街八四七號，成立了摩托羅拉的前身——「嘉爾文製造公司」(Galvin Manufacturing Corporation)，當時以製造電池整流器，讓使用者能透過家中插座的電流，來操作無線電收音機而聞名。儘管公司在成立之初，僅有五百六十五美元和五名員工，第一個星期的工資總額也僅為六十三美元，但這就是嘉爾文兄弟輝煌事業的起點。他們的第一個產品「電池整流器」讓消費者不需再使用傳統的電池，能直接用家裡的電流來使用無線電收音機。

一九二〇年代，隨著汽車的風靡，聽收音機成了很多人的娛樂方式，這兩種新型產品的相輔相成，自然成為不可避免的發展趨勢。但是，由於安裝過程複雜、音質不良、價格昂貴，同時最重要的是如果要收聽廣播，司機必須把引擎停下來，因此直到一九三〇年，還是很多人拒絕安裝收音機。

嘉爾文認為，經濟大蕭條時期，人們喜歡擠在收音機前忘卻自己的煩惱，可見人們需要收音機。因此嘉爾文決定走入民用收音機市場。他讓員工們設計一個價格低廉，並可安裝在大多數汽車內的簡易車用收音機。經過嘗試，一個實驗模型出現在收音機製造商協會集會前，並及時安裝在一輛車內。雖然公司沒錢在會場租一個攤位，但他機智地將汽車停在會場外，以便參觀者入場前就能看到他們的收音機。這一成功的策略為公司帶來了不少的訂單，使他對車用收音機的未來充滿了信心。

為了強調是行動中的收音機，嘉爾文將他已頗具名氣的收音機取名為「摩托羅拉」。這是第一代商用車用收音機，可安裝在多數汽車上，並可大量生產。一九三○年底，嘉爾文公司雖然虧損三千七百四十五美元，但車用收音機的業務卻蒸蒸日上。由於公司成功地將汽車無線電收音機商品化，並使用「摩托羅拉」作為品牌名字，這個字所代表的意思是「移動中的聲音」。在這一時期，公司更成立了家庭無線電收音機，及員警無線電部門。一九四七年，公司名字正式更改為「摩托羅拉有限公司」。

到一九五○年代，摩托羅拉研發出具商用性能的無線傳呼機。六○年代，摩托羅拉開始擴展海外市場。自從半導體成為工業和商業用基本的電子零件以來，摩托羅拉擴大了它的基本客戶範圍。七○年代，摩托羅拉開發出第一個微處理器，並率先開始了對蜂窩電話的研發工作。八○年代，摩托羅拉的傳呼機和蜂窩電話風靡全球。九○年代，摩托羅拉在全球市場獲得了最大的成功。它的電子通訊產品為現代社會開創了資訊交流的新紀元，成為大眾日常生活中不可或缺的資訊工具，提高了人們的工作、生活效率。

行銷基本功

成立於八十年前的摩托羅拉公司（Motorola），在歷經嘉爾文家族三代經營後，如何能由汽車音響製造商壯大為全球第六大半導體製造商、第二大行動電話業者？這要歸功於嘉爾文總是瞭解客戶心理，知道人們需要什麼。他認為，一個企業的產品應能迎合市場需求而產生，因此他努力去迎合客戶的需求，來研發生產產品，為此，他總是胸懷大略，預測出隨著經濟的發展而產生的市場需求，果不其然，讓他贏得了客戶，使自己在競爭激烈的商海中立於不敗之地。

7.根據客戶需求，決定技術方向

美國思科系統總裁錢伯斯曾說：「企業一旦脫離了客戶，各種利益照顧得不好，自然也就失去了發展的前景。」重視客戶需求，一直是思科的第一經營主張。至今還流傳著這樣一段佳話，在錢伯斯剛加入思科不久，有一天，他趕著去參加第一次董事會，可是向來守時的他卻遲到了，因為在走出辦公室之前，他接到一位沮喪的消費者打來的電話，錢伯斯耐心聆聽了他的問題，並幫助他解決了問題之後，才匆匆趕往會議場所。

錢伯斯極其推崇思科最核心的價值觀——像個偏執狂一樣地關注並滿足客戶需求。

當錢伯斯還在IBM和王安電腦公司工作時，他就意識到——只有適應用戶需求，及時改變產品路線，才可能在這個機會稍縱即逝的世界裡立於不敗之地。錢伯斯在思科公司做的最大一個變革，就是使公司重視客戶的需求，根據客戶的需求來決定技術的方向。

思科在過去十年間，曾經七次改變方向，客戶傾向什麼樣的技術和產品，思科便隨之而改變。結果，思科從一個單一生產路由器的公司，變成了一個生產二十五類網路通信設備的公司，而銷售額從七千萬美元成長到一百八十億美元。

錢伯斯的第二個變革措施是市場區隔，並極力使其產品在每個領域都達到第一或第二的位置。如果在某個領域做不到，就尋找合作夥伴，其實就是收購或者併購對方的公司。據說，思科的第一個收購，就是因為客戶需要某一家公司的產品，於是就決定把這家公司買過來。到二〇〇三年七月，思科收購了六十一家公司，付出了幾百億美元的代價，而僅二〇〇〇年，就以收購或換股併購的方式兼併了二十二家公司。自從思科轉向IP電話網絡業務之後，它又開始購買開發軟體和生產數據機的公司。當然，交易中除了現金之外，他們還使用「思科錢」，也就是思科股票。總之，「顧客需要，我又沒有，就去買吧！」已經成為思科收購活動的一個標準。在這裡，客戶才是真正的上帝。

正是有了這種「以顧客需要為第一」的理念，思科的銷售成績才會始終處於令人矚目的地位。

行銷基本功

失去了客戶的支援，企業就成了無源之水，無本之木。這就是思科系統公司總裁約翰· 錢伯斯掌控市場的智慧。所以，行銷者一定要站在客戶的角度去思考問題，站在客戶的立場來決定企業的所有市場策略。如果客戶對你的產品或服務滿意了，那麼自然也就占有了市場。

8.確立消費群體，樹立全新品牌形象

「百事可樂」是世界飲料業兩大巨頭之一，一百多年來與「可口可樂」上演著「兩樂之戰」。「兩樂之戰」的前期，即一九八〇年代之前，百事可樂一直處於低迷狀態。由於其競爭手段不夠高明，尤其是廣告的競爭不力，所以被「可口可樂」遠遠甩在後頭。然而經歷了與「可口可樂」無數次交鋒之後，「百事可樂」終於發現自身的缺陷所在，從而明確了自己的定位，以「新生代的可樂」形象對「可口可樂」展開了側翼攻擊，從年輕人身上贏得了廣大的市場。如今，飲料市場占有率的戰略

格局已發生了巨大變化。

「百事可樂」的定位是具有其戰略眼光的。因為「百事可樂」的配方、色澤、味道都與「可口可樂」相似，絕大多數消費者根本喝不出兩者的區別，所以「百事」在品質上根本無法勝出。「百事」選擇的挑戰方式，是在消費者定位上實施差異化。「百事可樂」摒棄了不分男、女、老、少，「全面覆蓋」的策略，而是從年輕人入手，將消費群體重新定位。透過廣告，「百事」力圖樹立其「年輕、活潑、時代」的形象，而暗示「可口可樂」的「老邁、落伍、過時」。

「百事可樂」完成了自己的定位後，開始研究年輕人的特點。經由精心調查發現，年輕人現在最流行的東西是「酷」，所表達出來的就是獨特的、新潮的、有內涵的、有風格創意的意思。「百事」抓住了年輕人喜歡「酷」的心理特徵，開始推出了一系列以年輕人認為最酷的明星為形象代言人的廣告大戰。

在美國本土，一九九四年「百事可樂」與美國當紅流行音樂巨星麥可・傑克森簽約，以五百萬美元的驚人價格，聘請這位明星作為「百事巨星」，並連續製作了以麥可・傑克森的流行歌曲為配樂的廣告片。此舉被譽為飲料業有史以來最大手筆的廣告運動。

麥可・傑克森果然不辱使命。當他踏著如夢似狂的舞步，唱著「百事」廣告主題曲出現在螢幕上時，年輕消費者的心無不為之震撼躍動，「百事可樂」這一飲料品牌也開始為年輕人所矚目。不久以後，「百事可樂」又聘請世界級當紅女歌星瑪丹娜為世界「百事巨星」，此舉可謂轟動全球。由這些紅透半邊天的世界頂極明星引領，「百事可樂」這一品牌開始深入人心，尤其受到年輕一代的青睞，銷量直線上升。

「百事可樂」透過名人廣告在美國市場上大獲成功之後，決定在世界各地如法炮製，尋找當地的名人明星，拍攝受當地年輕人喜歡的名人廣告。

在香港，「百事可樂」推出張國榮、劉德華為香港的「百事巨星」，展開了一個中、西合璧的音樂行銷攻勢。之後，「百事可樂」又力邀郭富城、王菲、珍妮・傑克森和瑞奇・馬丁四大歌星為形象代表。廣告在亞洲地區推出後，受到了年輕一代的極大歡迎。

音樂的傳播與流行得益於聽眾的傳唱，百事音樂行銷的成功，正在於它感悟到了音樂的溝通魅力，這是一種互動式的溝通。好聽的歌曲旋律，打動人心的歌詞，都是與消費者溝通的最好語言。

「百事可樂」作為挑戰者，沒有模仿「可口可樂」的廣告策略，而是勇於創新，透過廣告，樹立了一個「後來居上」的形象，並把品牌蘊含的那種積極向上、時尚進取，和不懈追求美好生活的新一代精神，發揚到百事可樂所在的每一個角落。

如今「百事可樂」那年輕、充滿活力的形象已深入人心。「百事可樂」已成為年輕一代最愛的飲料。

行銷基本功

任何一種產品都有自己所屬的定位和消費群體，而行銷最主要的，就是要將目標鎖定在最準確的位置上，並針對這一消費群體的特點，樹立一全新的品牌形象。在此基礎上，將形象做大、做強，更要做出獨有的特色，深入人心，以形成一種品牌共識。

9.新奇的創意，帶來滿意的效果

美國乳品大王史都．李奧納多（Stew Leonard）經營的世界最大乳品超級市場「李奧納多乳製品」（Leonard's Dairy），每週有十萬多人光顧、能夠賣出超過九萬五千個月形麵包，年銷售一百八十萬個蛋捲霜淇淋、三萬兩千噸各種家禽，年銷售額超過五億美元。

僅靠單純的乳製品，他是如何打開銷路，讓貨架上的東西儘速賣掉的呢？說來也並非秘訣，那就是創造一個能刺激客戶購買欲望的良好環境，也就是店頭廣告（POP）做得好。

首先，史都．李奧納多別出心裁地在超級市場門前，放上了一頭裝扮得漂亮的乳牛，這頭乳牛頭戴紅帽，腰繫紅綢，不時地搖頭擺尾向客戶致意，牠可愛的模樣令人不由自主地聯想到乳品。

其次，進入市場大門，前廳是一頭形態逼真的塑膠乳牛，胖胖圓圓，栩栩如生，旁邊還站著一個哼著民謠的牧牛機器人。讓人想到在那遼闊的大草原上悠閒唱著牧歌的牧童。

第三，展售大廳裡，有兩隻活潑可愛的機器狗，每隔六分鐘就唱一次「×××真好吃、×××真好吃」之類的幽默歌曲，讓你也不由地想嚐嚐這種「真好吃」的東西。

透過三步層層漸進的安排，顧客的購買欲望已經受到初步激發。接下來還有第四步。當顧客在琳琅滿目的商品中漫步時，陣陣烤麵包的清醇麥香，帶著各種風味的濃郁奶香撲鼻而來，令人食指大動。至此，恐怕就很少有人能不受誘惑了。

行銷基本功

人的購買心理常常會受到外在環境的影響，所以，創造一個良好的購物環境，營造別出心裁的氣氛，來吸引客戶的眼光，以刺激客戶的購買欲望，從視覺、聽覺與味覺三方面入手，提供客戶一種温馨、親切和快樂的享受。客戶既滿意之，也達到了行銷的目的，實在是一種高明之舉！

10.洞悉商品的賣點

一九四六年，一對猶太父子來到美國，在休士頓從事銅器生意，他們是奧茲維辛集中營的倖存者。

一天，父親問兒子：「孩子，現在一磅銅的價格是多少？」兒子答道：「三十五分錢。」

父親說：「沒錯，所有的人都知道是三十分錢。但身為猶太人，我們唯一擁有的財富就是智慧。對我們來說，不應該只是三十五分錢，而應該是三・五美元。」

兒子驚訝地望著父親。父親說：「你試著把一磅銅做成門的把手，如何？」

父親死後，兒子做過瑞士鐘錶上的簧片、做過奧運會的獎牌，還曾經把一磅銅加工後賣到了三千五百美元。

一九七四年，美國政府決定翻新自由女神像，但在這個過程中留下了許多廢料。面對如何處理這些廢料，政府向社會公開招標，尋求處理廢料的公司，但卻無人問津。

這個猶太商人聽說後，立即飛往紐約，看到自由女神像下大量堆積的銅塊和木料，立即就簽了字。

許多人對他的這個舉動十分不解，甚至有人暗自嘲笑他的愚蠢。因為在紐約，垃圾處理有嚴格的規定，稍微不慎就會受到環保組織的起訴。可是，猶太商人卻開始組織工人對廢料進行分類，把廢鉛、廢鋁做成紐約廣場精美的鑰匙；把廢銅熔化，做成小自由女神像；把木頭等加工成底座。幾個月後，這堆原本無人問津的廢料變成了三百五十萬美元的現金，也就是說，每磅銅的價格整整翻了一百萬倍。

這位聰明的猶太商人就是麥考爾公司的董事長。

行銷基本功

同樣是煤，當作燃料銷售和加工後銷售的價值肯定不一樣。當今產品的種類極其豐富與多樣，該怎麼樣才能在同類中出類拔萃？這就要利用智慧。透過各種策略與方法來展現自己的獨特性，才能有亮眼的成績。要知道，廢鐵也有可能成為黃金，不要輕忽任何能加以發揮的東西。

11.視對象行銷

古時候，宋國有一族人善於製造一種藥，這種藥冬天擦在皮膚上，可使皮膚不乾裂，不生凍瘡。該族族人就是靠這個秘方掙了一些錢，後來做起了漂染布匹的生意，日子倒也過得充足自在。

後來，有個賣布的商人知道了這件事，就出重金買下了這個秘方。

當時吳、越兩國是世仇，不斷出兵打仗。這個商人便將此秘方獻給了吳王，並說明在軍事上的用途。

吳王得此秘方後大喜，便在冬天發動水戰。吳軍士兵個個都塗了藥粉，不生凍瘡，戰鬥力極強；而越國士兵倉促應戰，加上大部分的士兵都患了凍瘡，苦不堪言，大敗而歸。

戰勝之後，吳王重賞獻秘方的商人一塊土地，這個商人從此之後便大富大貴，再也不用靠賣布維生了。

行銷基本功

對善於思考的行銷者來說，行銷的成功法則就是選擇合適的行銷對象，推銷他們目前最需要的產品。賣布的商人在偶然中得到這個機會，並設法利用這個有利的條件極力向吳王推銷，再延伸產品的用途，使吳國將此秘方用於軍事上，大敗世仇越國。賣布商人也因此獲得了大筆的財富與名利。

但是，如果賣布商人沒有將這個秘方獻給吳王，而是自己兜售此藥品，他也許還是能賺得許多錢，但此秘方的功能與價值就不會那麼大、那麼多了！

12.以新奇的創意爭取主動

美國一個機靈的年輕人看到出版商積壓在倉庫裡的一大堆書，正苦於找不到銷路。他翻了翻書，覺得書的內容很好，於是便對出版商承諾，自己可以幫忙把書賣出去。出版商正為這批滯銷書大傷腦筋，便一口答應說：「如果書能賣出去，他只取回書的成本，其餘的利潤都歸年輕人所有。」

於是年輕人帶著一本書，開始設法去見州長，並一再要求州長下一句書評。

日理萬機的州長懶得和他囉嗦，想打發年輕人儘快離開，就隨便說了一句：「這本書值得一讀，我留下來看吧！」

年輕人如獲至寶，到處兜售此書，並打上：「州長認為值得一讀的書」的宣傳標語。很快地，書就銷售一空。

不久，年輕人又帶上兩本好看卻不好賣的書去見州長。州長拿起其中一本，在扉頁上寫下「最沒有價值的書」，以此奚落年輕人。

可是年輕人卻絲毫不以為意，仍然笑嘻嘻地遞上第二本書。州長看著他詭異的表情，於是什麼都沒有說，就把書放在一邊。

可是過了不久，年輕人很快地又大賺了一筆錢。

州長好奇地派人去打聽，原來這兩本書出售時分別打著「州長認為最沒有價值的書」和「州長難以下評語的書」來進行宣傳的！

這位年輕人利用州長的名氣進行促銷活動，其手段可謂巧妙周全，既達到了賣書的目的，又讓州長無話可說。他利用人們對州長這位名人的神秘感和崇敬心情，圍繞眾人的情緒反應大作宣傳，增加了新書的影響力，使讀者趨之若鶩。

任何商家或者企業在沒有良好的聲譽和形象之前，要想取得良好的經營業績是非常困難的。而要等形成良好的產品形象，則往往需要幾年，甚至幾十年的時間。所以，借名人來提升自己的聲譽，不失為剛起步創業不久的企業或商家的一種妙策。

在商品經濟的大潮中，市場上的競爭格外激烈，眾多的產品和資訊使人們眼花撩亂、無所適從。因此，許多消費者主要是靠「感覺」來判

斷一個企業。許多跨國公司的生意都是靠品牌、名氣、形象成交的，如德國的照相機、瑞士的手錶、日本的電子產品和小汽車、法國的化妝品、美國的可口可樂、中國的茅臺酒等等。

行銷基本功

從年輕人的聰明才智中，我們發現，在行銷過程中，只有花心血，想出新奇的創意才能使自己占據主動，以智取勝。但要注意先從消費者的心理入手、或滿足他們的需求、或投合他們的好奇心，突破道統理念和傳統思維，極力收到「一石激起千層浪」的效果。

13.行銷就是要敢於與眾不同

「塞翁失馬，焉知非福。」世界上任何危機都蘊涵著商機，且危機愈大，商機就愈大，這是一條顛撲不破的商業真理。

這是發生在美國西進時的一個故事。

聽說美國西部發現了黃金，許多夢想發財的人紛紛前去那裡淘金，威廉也是其中之一，他隨著挖寶隊伍來到了荒涼的西部。

淘金是一個美麗的夢幻，也是一個絕佳的發財機會，所以大家都義無反顧地投身其中。然而西部氣候乾燥，水源奇缺，生活非常艱難，連喝水也是一件非常困難的事情。

威廉心想：「淘金雖然十分誘人，但希望太渺茫，還不如現實一點，在這裡賣水吧！」

於是，威廉毅然放棄了淘金，費了很大的功夫打了一口井，並把井水經過過濾處理，裝進瓶裡載到淘金處去賣。由於方圓幾十里都無可供打水的地方，因此威廉的水很受淘金者的歡迎。

然而也有人嘲笑他，說他胸無大志，本來是到這裡來淘金發大財的，現在卻做起這種不起眼的生意來。這種小生意哪兒不能做，何必跑到這裡來？

但威廉毫不介意，繼續賣他的水。在賣水的同時，他又發現，淘金者的工具損壞得很快，而他們又急於淘金，不可能跑到幾百里以外去購買工具，所以他又專程到幾百里以外的城鎮載回一車工具來。

就這樣，他每次賣水時就會順便統計有誰需要工具，之後再送過來。由於沒有別的人賣水和工具，所以威廉是大家唯一的供貨者，因此價格雖然有點貴，但銷售量還是很好，錢財滾滾流進威廉的荷包。

最後，有確切的消息證實，黃金只是一個謠傳，其實根本沒有什麼黃金可挖。結果大家都空手而歸，只有威廉在很短的時間裡，靠著不起眼的小生意賺了一筆非常可觀的財富。

那群淘金工人想破腦袋，也不知道這個窮小子發達的原因，一頓牢騷中也蘊涵著致富的資訊。善於從別人的話外之音，提取有用的資訊也能開闢出新市場。從這一點來說，資訊就是財富。

行銷基本功

「發現市場、進入市場、培養市場」這是行銷者的三個境界。當然，這個過程是逐步實現的。故事裡，威廉的實際行為給我們提供了一個很成功的範本。他首先發現了水和工具是兩個可以賺錢的市場，接下來他卻很勇敢地進入這個市場、經營這個市場，正因為沒人敢做、也沒人想做，所以甚至連一個和他競爭的人都沒有，因此有膽識、有慧眼的威廉不僅獨占了這個市場，也從市場中獲利許多。

14.製造需求成交法

二○○一年五月二十日，美國一位名叫喬治·赫伯特的推銷員，成功地把一把斧頭推銷給小布希總統。美國布魯金斯學會（The Brookings Institution）得知這一消息後，把刻有「最偉大推銷員」的一隻金靴送給了他。這是自一九七五年該學會一名學員把一臺微型答錄機成功賣給尼克森以來，又一名學員獲得如此高的榮譽。

布魯金斯學會創立於一九二七年，以培養世界最傑出的推銷員著稱於世。它有一個傳統，在每期學員畢業時，設計一道最能體現推銷員能力的實習題，讓學員去完成。

柯林頓當政期間，他們出了一道題目——請把一條三角內褲推銷給柯林頓。八年間，有無數學員為此絞盡腦汁，最後都無功而返。柯林頓卸任後，布魯金斯學會把題目換成——請把一把斧頭推銷給小布希總統。

鑑於前八年的失敗和教訓，許多學員都知難而退。有的學員甚至認為，這道實習題會和柯林頓當政期間一樣毫無結果，因為現任總統什麼都不缺；即使缺了什麼，也不用他們親自購買。再說，即使他們親自購買，也不一定會買你手中的產品。

然而喬治·赫伯特卻做到了，並且還不費吹灰之力。他接受記者採訪時是這樣說的：「我認為，把一把斧頭推銷給布希總統，是一件非常有可能的事情。因為，布希總統在德州有一座農場，那裡種滿了許多樹。於是我寫了一封信給他，信中說：『有一次，我有幸參觀您的農場，發現那裡種滿許多矢菊樹，有些已經死掉，木質也已經變得鬆軟。我想，您一定需要一把小斧頭，但是依您目前的體格來看，小斧頭顯然太輕，因此您是需要一把不甚鋒利的老斧頭。現在我這兒正好有一把這樣的斧頭，它是我祖父留給我的，很適合砍伐枯樹。如果您有興趣，請依信中所留的信箱給予回覆。』最後他匯了十五美元給我。」

喬治·赫伯特成功後，布魯金斯學會在表彰他時說：「這個金靴獎已閒置了二十六年。二十六年間，布魯金斯學會培養了數以萬計的推銷員，造就了數以萬計的百萬富翁。但這隻金靴之所以沒有授予他們，是因為我們一直在尋找這樣一個人：『這個人從不因有人說某一目標不能實現而放棄，從不因某件事情難以辦到而失去自信。』如今，終於讓我們找到了這個人。」

行銷基本功

不是因為有些事情難以做到，我們才失去信心；而是因為我們失去了自信，有些事情才顯得難以做到。作為一個推銷員，尤其如此。在推銷過程中，只有不畏艱辛，充滿自信，才能獲得真正的成功。沒有做不成的買賣，但看你是否能發揮創意，突破刻板，化不可能為可能。

一、發覺客戶的需求

拜訪客戶，以致謝、讚美作為開場白，漸漸導入主題。然而，困難的地方就是如何將開場白順利地導入商業主題，很自然地談到與推銷相關的話題。

聰明的業務員能夠參酌客戶的狀況，提出有利於銷售的話題，例如「由於不景氣，很多企業都在推行降低成本的方案，貴公司對於節省能源方面有沒有對策？」讓客戶提出回答，然後展開討論。這時業務員必須利用探索的技巧發問，利用開放性問題來發問，好讓客戶提供足夠的資訊。但是，很多業務員以為推銷就是要滔滔不絕地自吹自擂，只顧著自己說話，而忘記了促成交易的法寶——就是讓客戶暢所欲言，從中獲知客戶的需求。

推銷專家一致認為，在從事商品推銷以前，先「發覺客戶的需求」是極為重要的事。瞭解客戶需求以後，可以根據需求的類別和大小判定眼前的客戶是不是自己的潛在客戶？值不值得推銷？如果不是自己的潛在客戶，就應該考慮——還有沒有必要再跟客戶談下去？玫琳・凱也說：「不瞭解客戶的需求，好比在黑暗中走路，白費力氣又看不到結果。」

二、找出產品的正確定位

決定賣什麼，讓他人一眼就能明白，也讓自己能迅速找到買主。比方說，賣的是保險，必須清楚確定是醫療險、壽險，或是儲蓄險，才能找到自己需要的客戶群，業務員自己也知道該賣什麼。若明明是儲蓄險，卻找了七、八十歲的老年人，希望他們儲蓄二十年後可以期滿領回，在這樣的情況下，必會使你的客戶產生疑惑，生意自然不好。

不同市場區隔，就有不同的市場屬性。為了能讓所有的業務員運用有限的資源做更精準的訴求，就得依照市場各區塊不同的屬性來做選擇。

一般市場屬性不外乎依照客戶年齡、收入、階層、教育程度、地理分布等來區分客層。確定了客層，才能導引出客戶的需求。確認了客戶的需求，業務員才能做出有關商品及企劃的正確決策。

派克鋼筆在美國乃至世界上大名鼎鼎，集高貴、典雅、精美、貴重於一身，平民不敢問津。它是財富的象徵，是帝王、總統和有錢人互贈的禮品。它的價值不僅表現在體面和耐用上，同時也是收藏的珍品。

但十八年前的一天，它搖身一變，革了一回自己的命，自貶身價，投懷送抱於尋常百姓家。從此，有身分的人開始對它冷眼看待，再也不肯用高貴的手觸摸它。而平民對它也並不鍾愛，就好像粗人選老婆，要的是中用結實，能勞動的；安然來了一位公主，反而顯得格格不入。於是派克鋼筆被冷落了。

派克鋼筆想過一過平民的癮，在銷量上創造奇蹟，結果差點自毀前程。派克讓自己窮了一回，結果年度報表上一片赤字，差點破產。幸好在危機剛一顯露，就懂得及時回頭。

由此可見，產品的市場定位是非常關鍵的。「舊時王謝堂前燕，飛入尋常百姓家」局面的發生在行銷中必須慎之又慎。

三、不賣產品而賣「夢」

產品的經濟性、便利性、耐久性、顏色、花樣、設計、價格等雖然是推銷員推銷產品時，所應加以介紹的銷售重點；但最具關鍵的，乃是能否引導客人描繪出使用該產品所能產生的「夢」，使客戶相信購買此商品，他的未來將不是夢。

如果僅僅用心介紹，宣傳產品的功能、特性，仍不足以打動客戶的心；若要使客戶點頭答應，還必須讓客戶產生憧憬與美夢。

比方說，在我們推銷冷氣機、汽車、鋼琴、參考書的過程中，若能使客戶想起裝設冷氣機後，一家團聚的舒爽溫馨景象，以汽車自豪的得意情形、孩子努力學琴唸書的畫面，銷售的成績必然不錯。使眾人企盼的「夢」，栩栩如生地呈現在客人眼前，就是推銷員需發揮高明手腕的地方。藉由挑起對方高尚的動機，觸動消費者的需求，也就是「夢」的擴大或縮小，往往成為客人取捨的考慮因素。

總之，在銷售產品之前，使客戶知道，使用此商品可得的美麗浪漫的夢，已成為先決條件了。不管是何種行業的推銷員，都要切記這項原則。

就此而言，「推銷員」這項職業，是一個賣夢的工作。而讓客戶懷抱著夢，就是成功銷售產品的不二法門。

摩根說，一個人去做一件事，通常是為了兩種原因——一種是真正的原因，另一種則是聽來動聽的原因。

每個人本身都曾想到那個真正的原因。你用不著強調它。但是，我們每個人的心底裡都是理想主義者，總喜歡想到那個好聽的動機。因此，為了改變人們，就要挑起他們的高尚動機。

四、使客戶擁有期待與希望

同樣的商品，其他公司非常暢銷，這家公司的庫存卻堆積如山。該公司的負責人非常著急，於是請來了一位銷售顧問陳先生。陳先生看看情形之後說：

「這些商品可以賣出去啊！滯銷的情形那麼嚴重，一定是你公司的推銷員不夠努力，銷售不得當的關係。這些商品可以銷售，我們一起去賣，一定會賣得很好。」

結果該公司的負責人馬上就說：「這實在令人非常興奮！陳先生，無論如何一定請你做我們的銷售顧問，我們簽約吧！」這位陳先生根本沒多做說明，對方的負責人就突然提出簽約的事情，道理何在呢？

理由有二：

1. 陳先生很直接地一語道破銷售本質，商品銷售不出去的原因。同樣的商品，其他公司暢銷，這家公司卻庫存了許多，不用說就知道推銷員沒有認真從事銷售活動，沒有計畫好銷售的策略。

2.「我們一定賣得很好」、「商品可以賣出去呀」這幾句話使客戶滿懷希望，產生期待的夢，對陳先生有了信賴感。

客戶在買東西時，不管買的是商品還是服務，一定會考慮到這東西的效益，也就是它的方便性、經濟性。有了這些期待及希望，才會有購買的欲望，才可能做購買的決定。推銷員應該確認商品的所有價值，對客戶充分說明，使客戶產生「我如果買它，我會怎樣……？」「它可以帶給我哪些好處……？」「我可以利用它怎樣……？」等想法，如此一來，使客戶充分明瞭購買產品後將帶來的好處，這樣你就已經打動了客戶的心。換言之，客戶想不想買，端靠推銷員是否有成功的產品說明。

如果客戶對產品有著嚮往，抱持著希望，期待該產品可以滿足他的需求，那麼我們可以說，這個銷售百分之百能夠成功。所以，能讓客戶

達成希望，就是推銷員的使命，同時也是邁向成功的要件。

五、在眾多資訊中尋找機會

現代社會已經捲入了資訊的潮流中，如滔滔洪水般的資料、話語、文字、各種檔案、專利……它並不單純地出現於電腦螢幕上、報紙的經濟專欄裡和電視廣播的聲音裡，有的暗含在一個事件中，有的存在於抽象的市場規律中。資訊的產生和繁衍並沒有固定的形式和載體。

對現代商人來說，資訊愈來愈重要。資訊在一定程度上，就是知識。在儒商的時代，掌握豐富的資訊和知識就如同插上了翅膀，這樣能飛得更高更遠。從另一方面來說，商機往往隱藏在資訊裡，是資訊的土壤上培植出來的碩果。在紛繁複雜的資訊流中，誰要是敏銳地獲取了有利的資訊，誰就占盡了先機，可以大撈一筆；反之，資訊閉塞，對市場行情缺乏瞭解，就只能眼巴巴地看著別人發達。

資訊滯後或者缺乏，都會造成投資和時間浪費。一個出版商自認為一個企劃選題很新穎，於是花費時間和精力去出版，可是圖書卻一直賣不出去，原來這方面的圖書在市場上早就氾濫了。類似的例子還有很多，別人的研究成果早就公布了，資訊不靈通的人，可能會花費畢生的心血潛心摸索。

資訊管理雜亂不堪，則會讓你覺得毫無頭緒。現在的資訊遍布在我們周圍，但並不是對所有人都很重要，在任何時候都有價值，在任何地方都能變成財富。

正因為上面這些原因，許多精明的生意人都留意資訊的變化，利用網路、報紙和電視等媒體有目的性地進行市場調查，廣泛地收集有用的資訊。善於捕捉資訊的人，總是能意識到某個資訊在特殊時間地點的重要作用。

依靠資訊，投資會更安全，生產更得心應手，銷路更廣闊，成本會更低，而且在資訊的衍生中，還會產生新的機會和財富。一個成功的商人資訊靈通，不用在外奔波探訪，也能做到一切盡在掌握之中，英明決策，只有這樣的「運籌帷幄」，才能「決勝千里」。

六、開發名牌效應

在瞭解行銷的重要性之後，所有的行銷人員就應該深入鑽研其手法與精髓。行銷之道，千變萬化，各有巧妙，憑本身的資源、產品特性、市場區隔、消費差異而有不同的方式。但如果能活用各種媒介，並運用靈活手腕，雖經費有限，也能創造出成果。

凡是做大的公司必須有自己的品牌效應。公司要開發真正適合市場的好產品，有一個原則可以遵循，那就是——人無我有，人有我新，人新我好；人棄我予，人取我棄。

1. **人無我有，人有我新，人新我好：**產品開發要取得成功，要能在市場上取得競爭勝利，就必須做到「人無我有，人有我新，人新我好」。所謂「人無我有」，就是別人沒有的產品或品種，我有，我能開發、生產。所謂「人有我新」，就是別人有的產品或品種，我不僅有，而且與人相比具有新規格、新花色、新款式、新功能等，即具有新穎性、創新性和新特色。所謂「人新我好」，就是別人的產品也新，但我的產品不僅新，而且品質好，經久耐用、功能齊全、服務周到。

公司競爭具體的表現為爭奪消費者、爭奪市場的競爭。誰勝誰負，誰處於主導、有利地位，取決於競爭雙方產品的情況、產品對消費者的滿足程度。因此，公司的競爭集中體現在產品上，其勝負取決於競爭雙方各自產品能否在品種、規格、顏色、款式、品質、服務等方面滿足消費者需求。

產品的有與無、新與舊、好與壞、有與新、新與好，都是相對的、相比較而言的，並且是可以互相轉化的，是競爭雙方矛盾統一的表現。競爭矛盾雙方，一方有另一方無，有的一方就占優勢，就能取得競爭勝利；一方有另一方新，新的一方就占優勢，就能掌握競爭的主動權；一方新另一方好，好的一方就占優勢，就能占據競爭的有利地位。因此，公司進行產品開發和市場競爭，一定要做到以我有對你無，以我新對你有，以我好對你新，總之，一定要使自己的產品形成特色和優勢，以己之長克人之短，這樣才能獲得成功。

2. **人棄我予，人取我棄：**產品開發，要面向市場，要積極參與市場競爭。關起門來盲目開發，不考慮市場，不顧及競爭，註定是要失敗的。產品開發，必須要有正確的競爭觀念和靈活機動的競爭策略，必須要懂得「棄」與「取」的相對關係，把握「棄」與「取」的時機。

「棄」與「取」，是市場供需矛盾變化和競爭雙方矛盾變化，在經營對策上的反映。當市場上出現對某一種產品的需求時，有眼光的公司，應看準時機，搶在別人的前面，儘快開發、生產出這種產品，及時投入、占領市場。但當許多公司都競相開發、生產這種產品並投入市場時，在獲利減少到一定程度的情況下，又應及時地放棄這種產品生產，轉而開發、生產別的產品，或者當一開始就有許多公司開發、生產這種產品時，就不進行這種產品的開發和生產。這就叫「人取我棄」。當市場上出現對某一種產品的需求，並且別的公司無力開發，或無意開發，或對效益評估悲觀不願開發時，如果自己公司有力開發且具有效益，就應積極開發，發揮自己的優勢；另外，當許多公司都放棄某種產品開發、生產後，市場重整又有利可圖時，公司可東山再起，再次對該種產品進行開發、生產。這就叫「人棄我予」。

「棄」與「取」，是對立的統一。「棄」是為了「取」，暫時的「棄」是為了將來的「取」，少「棄」是為了多「取」。只「取」不「棄」，不僅取不到還會棄，暫時取到了將來也會棄。但只「棄」不「取」，是無任何意義的。「棄」與「取」，都是有條件的、相對的和可轉化的。客觀地看待「棄」與「取」，「棄」不一定就是不好，「取」不一定就是好。在一定情況下，「棄」可以避免損失，換來今後的盈利。但在另外的情況下，「棄」就等於放棄有利時機，放棄效益。對於「取」，道理也是一樣的。

總之，公司進行產品開發，要根據市場實際及自身條件和優劣勢，採取靈活的戰略戰術，宜取則取，宜棄則棄，適時取，適時棄，以我予對人棄，以我棄對人予。這既是先賢管仲的經營之道，也是當今公司的制勝之道。在產品開發上，切忌跟著別人的腳步走，或消極地跟著市場轉、亦步亦趨，大家都做我也做，大家不做我也不做，如此一來註定會失敗。

七、產品要廣而告之

「廣告」，顧名思義即是廣而告之，而且是廣泛地告之。生活中舉凡看到的、聽到的廣告無所不在，以各式各樣的方式呈現，從海報、傳單、報紙、廣播到電視，充斥在我們的生活中，而如何讓人留下深刻的印象，則成為廣告的重點所在。資訊及科技不斷進步的時代，廣告當然也跟著不斷進步。隨著時代潮流的變化，廣告也要不斷地創新，不論是從內容、方法或是所運用的媒體上都要創新，所以才會出現許多另類廣告、意識廣告、電子看板廣告和網路廣告。現在廣告的重點要創新、要環保、要能刺激消費者的需求，進而引發購買的行動，如此才能達到廣告的目的。

「廣告」的定義很多，最常用的是由美國市場行銷協會所定義的：「廣告是由一個廣告主（做廣告的人），在付費的條件下，對一項產品、一個觀念或一項服務（指商品）所進行傳播的活動。如「可口可樂公司」為了推銷可口可樂該項產品所做的廣告。廣告的廣告主通常不是一個人，而是一個機構，所進行的傳播活動是針對一群特定的、但不很明確的大眾（消費者），因此，大致可將「廣告」區分為以下幾個特點：

1. **「廣告」是一種傳播工具：**是將一項商品的資訊，由負責生產或提供這項商品的機關傳遞給一群消費者，此種將訊息傳遞給一大群人的傳播方式，通稱為「大眾傳播」。如：各大百貨公司的廣告看板，藉由看板將廣告資訊傳達給每位消費者。若由一個推銷員面對面地向一位客戶傳遞資訊則是「個人傳播」，二者是不同的。

2. **「廣告」不同於公眾宣傳：**廣告主要是付錢進行資訊傳播活動的，它與另一種大眾傳播方式「公眾宣傳」不同。「公眾宣傳」通常指媒體機構（如報紙或電視臺等），自動為某項商品免費宣傳。會選擇此方式的媒體機構，通常是因有關這項商品的資訊有其新聞價值，可吸引許多的讀者、觀眾或聽眾。但此種方式的傳播，對廣告主是不可靠的，不能預先計畫的。如「董氏基金會」的禁菸宣傳，用知名藝人的號召力來促使大眾信服而實行。「廣告」則不然，它可以有目標、有計畫地控制和支配傳播活動。

3. **「廣告」所進行的傳播活動是帶有說服力的：**「說服性」的傳播目的，不僅將資訊傳遞出去並被接收，其最終目的是要讓資訊接收人接受所傳達的資訊內容，促使資訊接收人去做某些資訊中要求他們去做的活動。如「白鴿」廣告，運用邱彰博士專業知識的說服力，促使消費者瞭解、信任該項產品的功效，進而去購買。所以由此可知，「廣告」運用了許多不同策略，讓資訊接收者接受即為說服廣告。

4. 廣告所進行的傳播活動是有目標、有計畫且連續性的：由於「廣告」為說服性的傳播，而說服性本身必須經過較長時間的培養及反覆推敲，因此要使「廣告」發揮其功效，必須經過較長時間、有目標、有計畫地做一連串的傳播活動。它必須是按部就班、逐步進行、連續性的說服活動。

「廣告」是一系列有目標、有系統的大眾傳播活動。縱使廣告的功能繁多，但它卻容易給人虛偽誇大、不切實際的感覺。當「廣告」內容與商品內容不符時，會對消費者造成傷害，進而使消費者對該廣告產生反感。如消基會檢舉第四臺某些瘦身廣告，因其不切實際、誇大而造成消費者的傷害。因此，一個好的廣告，該怎麼做才能使該產品達到成功行銷的目標，是我們做廣告所需考慮的。

「好酒也怕巷子深」，每個行業的產品都在日趨豐富，客戶會選擇哪個種類，哪個品牌，在很大程度上取決於對商家的印象。這就意味著商家要主動出去把自己的「好酒」展現在別人面前，而不能等著別人循著香味摸索到深巷子裡來，這樣才能贏得更多的顧客，占有更大的市場。

再看看那些國際知名品牌，美國的「可口可樂」和「福特」、日本的「松下」和「Sony」，儘管這些產品的品質和售後服務都是遙遙領先，但是產品廣告和品牌宣傳仍是不可或缺的。

有的人說，「廣告」是知名大企業的「法寶」。我現在規模不大，不值得花那個錢去做廣告宣傳，再說廣告費用也不少。但正確的觀念是，小企業和小公司更不能忽視廣告和宣傳的作用。

你的投入會帶來大的回報。也許現在「四兩黃金」對你來說是一大塊心頭肉，但是「千斤黃金」會是你最終的收益。花一筆錢就能提高企

業和公司的知名度，就能產生高效益，又有什麼不划算呢？

事實上，你的廣告費用不必很大，大的廣告費未必能獲得大的成功，而小的廣告費只要創意十足，就能產生好的效果。

八、廣告要有創意

做廣告是一門專業學科，需要企劃和科學的管理。首先，必須確定廣告目標、廣告對象和廣告策略。

說得通俗一些，就是要知道「說什麼」、「說給誰」、「怎樣說」和「說成什麼樣」。當然，這只是最基本的要求。一個富有生命力的廣告，必須要有「新意」，不要重複別人做過的，不要模仿別人想過的，以新鮮的面貌刺激消費者，才能引起人們的注意。廣告的形式、載體、文案等都沒有固定的模式，而「與眾不同」就是廣告的原則和命脈。只有在內容和形式等方面都別具一格，並確保有亮點才能成功。

成功的廣告很多，有的借助名人效應，讓名人和明星們幫助企業承諾產品品質，為其優越性提供證詞；有的製造新聞來炒作，精明的生意人經過一番精心策劃，製造「事端」，看上去不是廣告，卻勝似廣告；有的以新穎動人的文案取勝，這樣的產品必定會深入人心；有的大牌企業乾脆讓廣告無處不在，消費者想躲都不行。「麥當勞」就是最成功的例子，金黃色的「M」字標誌，在任何國家、任何城市都很容易清楚知道……。

產生好創意廣告的方法還有很多，但是萬變不離其宗——廣告創意必須生長在調查研究的土壤中，準確定位，廣開思路，這樣才能開出靈感的花朵。

所謂「定位準確」，就是要找出你的準消費者，確定產品在消費者心目中的地位，要做適合自己企業的廣告。如果為孩子們喝的飲料做廣告，把畫面製作得沉靜而懷舊，並且配上文縐縐的文案，你想小朋友們能理解嗎？這個品牌會受他們的歡迎嗎？

如果脫離了定位，或者缺乏調查和研究，即使再與眾不同的廣告也會失敗，如此就不是與眾不同，而是與眾分離了。

廣告可用各種不同的組合方式來表達所要推銷的產品：

1. **生活裡的小片段**：以此種方式，表現一個人或者更多人在日常生活中使用本產品的一般情景。例如，「臺鹽」在推「健康美味鹽」時，便是利用家庭主婦使用鹽做菜的情景來表現產品。

2. **生活形態**：強調該產品符合某種生活形態。例如，某種咖啡飲品在廣告中的情境搭配是以庭院為背景，桌上擺了一些餅乾，呈現人們悠閒的樣子。

3. **新奇幻想**：即在創造一些與產品本身或其用法有關的新奇幻想。如，「舒跑運動飲料」的廣告，提倡消費者以溫熱方式來喝該飲料，感受另一番風味。

4. **音樂**：此為使用一個人、一群人或卡通人物唱和產品有關的歌曲為背景，或直接展示出來。如「雀巢檸檬茶」，以歌曲來介紹其產品，消費者一聽到其音樂就能琅琅上口。

5. **個性的象徵**：此為創造產品個性化的特徵。這些特徵可能是生動活潑的，或真實的。例如，「寶島眼鏡公司」推出的眼鏡，請了阿妹妹倆人來塑造眼鏡的特色，表現出其個性及流行的趨勢。

6. **氣氛或形象**：此乃在喚起對產品的美、愛或安詳的感覺，以建立產品的氣氛或形象。它不為產品做任何聲明，僅做暗示性的提示。「麥斯威爾」咖啡的「好東西，要和好朋友分享」的廣告，徹底表現了朋友之愛，成功地替該品牌打下知名度。

7. **科學證據**：為提出調查結果或科學證據，證明該品牌確實優於其他品牌。「幫寶適」的嬰兒紙尿褲，由醫院的護士或藥局的藥劑師親自來證實，並做實驗，證明該產品的吸水力及清爽皆是毋庸置疑的。

一個有效的廣告策略，對新產品的成功上市是非常挑剔、嚴謹的。而一個成功的策略，不能單單只考慮到眼前銷售量和知名度的問題，必須同時在產品面臨轉型前提出應變策略，這樣的廣告策略才是最佳的廣告方案。

九、廣告文宣標語引商機

想讓消費者心甘情願掏出「銀子」來購買你的產品，這就是廣告的目的。那麼，事前的規劃與策略就顯得非常重要。在擬訂廣告策略時，應先執行下列幾點：

1. **確認產品**：唯有充分且徹底地瞭解廣告產品或服務之特質，才能針對其特點做重點式的宣傳。

2. **確認市場**：明確地指出產品銷售方向並表示在何種情況下，消費者會購買這樣的產品，以及主要購買者和使用者屬於哪種形態。

3. **確認定位**：使產品或品牌能在消費者腦海中留下獨特且深刻的印象，在往後有需要便能立即想到此品牌，此即為廣告策略之精髓。

4. **確認方法**：以此表現廣告策略訴求的方向、特色，以及所使用的技巧與方法。

5. **確認目標**：使廣告策略與所設定的廣告目標產生直接關係。

在過去物資缺乏的時代，需求大於供給，所以只要商品一推出，立即能銷售一空。如今時代變遷迅速，和以往產品只要有個名稱，做個廣告就會十分暢銷的情形不同了。現今不論是廣告的創意或技術，均有令人意想不到的發展，而且不再是只要做廣告就能賣出商品的時代了，而是進入消費者主權的時代。消費者憑著自己的需求與偏好，選擇適合的產品，依此情形，廣告策略的運用就變得非常重要了。

在美國鮭魚市場上，主要有紅鮭魚和粉紅鮭魚兩大品種，競爭十分激烈，多年來的勝負都在伯仲之間，銷售商在廣告詞中都信誓旦旦地說自己勝過對方一籌。但實際上，初期的贏家是銷售粉紅鮭魚的銷售商，無論知名度、銷售額和利潤都要比對手高。

紅鮭魚的銷售商立即商討對策，總經理聲色俱厲地對推銷人員訓斥道：「給你們九十天時間，縮短這個距離，否則，我讓你們全身摔個粉紅。」

推銷人員苦苦思索，在罐頭上多設計了一條標籤。三個月後，紅鮭魚的銷售量大大回升了。總經理認為只是偶然現象，又過了三個月，銷售量仍然直線上升。

總經理十分高興，召見了全體推銷人員。員工向他彙報，全是那條標籤起的作用。原來，那條標籤上寫的是：「正宗挪威紅鮭魚，保證不會變成粉紅！」總經理拍案叫絕，重賞了他的部屬。

在這個成功的推銷事例中，推銷人員僅用了一句巧妙的廣告詞，不僅暗示自己的正宗，同時使用「保證」一詞，既使對方的信譽受到貶低，又使對方抓不到自己的把柄，因而毫不費事地贏得大量的客戶。商戰的最高原則就是，既要旗幟鮮明地宣傳自己的產品，又不能明目張膽地損毀對方的聲譽。

十、別出心裁的廣告

「廣告」最重要的就是「創意」。「創意」即創造新的東西，也就是

將原先已經存在的東西，也許是不大起眼，也許是擱置了許久，加以重新排列組合，而成為全新的東西，即是我們定義的「創意」。「創意」的創造法並不在於從哪裡找，而是按照其創造法的方法，做自我訓練及把握住產生創意的原理。因此「創意」因數，其實是無所不在的，只要仔細地觀察，可能隨時都會有新發現。

如果消費者看了廣告無法產生立即的反應時，就代表整個廣告策略上出現了缺失。所以，一個完美的廣告策略是要讓自己知道「我們應該做什麼」，這遠比如何去做重要。

埃德．默維希，加拿大零售業之王，以他的名字命名的「埃德商店」，是加拿大最大的零售超級市場，年營業額達一百零一億加幣！這在地廣人稀的加拿大簡直是神話般的奇蹟。默維希白手起家，他是如何一步步走上零售業之王的呢？

默維希一九一四年生於一個歐洲猶太移民的家庭，十五歲那年，父親就與世長辭了。正在多倫多讀高中的默維希，毅然擔起養家的責任，他開過雜貨店，但沒有掙到什麼錢，後來又進入一家超級市場工作，但薪水還是很有限。家境貧窮的他，毅然辭去了超級市場的工作，重操舊業，開設了一家出售體育用品的商店，名叫「運動小店」。這一次運氣要好一些，幾年的勞碌下來，手頭居然也小有一筆積蓄了。

應該說，這幾年的磨難還是讓默維希學到了不少東西。尤其是在經營「運動小店」時，他把市場定位在中、低檔服裝上，頗得一般消費者的青睞，只是苦於資金有限，無法擴大經營規模。但聰明的默維希牢記這些年失敗與成功的心得，他在等待合適的機會，準備大展身手。

二次大戰後的多倫多，與世界上其他地方一樣，百業蕭條。默維希抓住機會在多倫多買下一家舊物商店，決心按以往的設想去做。他把商店稍作整修，掛上「奧尼斯特．埃德商店」的醒目招牌，很快就開門營業。

一天，人們在這家商店的外牆上看到這麼一個別緻、有趣而又動人的廣告：

「致尊敬的顧客們：

敝店的店堂像垃圾堆，敝店的服務令人難以恭維；敝店的貨架只一堆破爛箱子；但是敝店的價格絕對是全市最低的！

奧尼斯特·埃德商店」

老實說，這樣的廣告，人們還是頭一回見到，對比其他的那些司空見慣的、用詞華麗的廣告來說，默維希的廣告讓人們感到樸實無華，非常實在。所以，許多人決定到這家與眾不同的商店去看看，親身經歷它的「零亂」和廉價。

於是，絡繹不絕的顧客湧進了商店，他們欣喜地發現自己並未上當。這裡商品種類繁多，從日用品到副食品，從指甲刀到婚紗，簡直無所不有，而且的確貨真價實。顧客信服了，就是那些只是出於好奇逛一逛的人們，也忍不住買了大包小包滿載而歸。

默維希一炮而紅！

他的成功，與廣告有著直接的關係。而那則別出心裁的廣告詞出自自己的手筆。他從這則引起轟動效應的廣告中悟出：「高明的廣告，力量是無窮的。」從此以後，他始終親自動筆寫廣告詞，直到功成名就的今天，仍堅持每兩週撰寫一次文案。

「奧尼斯特·埃德商店」起初位於多倫多市的貧民區。開業頭幾年，來商店購物的多是中、下層的顧客。但是，隨著該店的聲望日益高漲，慢慢地有些高貴的夫人、紳士也來惠顧此店。

默維希回憶說：「過去來此購物的上流社會人士，開始時還有些不好意思，他們總是推說『為女僕買東西』之類。可是後來，他們也大模大樣地來去自如。再後來，外地來的遊客也把到此地採購廉價物品，當作旅遊行程中必做的一件事了。」

十一、接近消費者的生活化廣告

今日的媒體早已是多元化，加上社會進步、科技進步、資訊的發達，媒體更是不斷地自我擴大、自我充實，甚至擴展到有線電視、網際網路。也由於「廣告」具有溝通的能力，能影響消費者產生實際的購買行為，才能造就「廣告」的無所不在。

何以說「廣告」是無所不在的呢？因為，我們無時無刻不是生活在廣告之中。例如，報紙上所夾的宣傳單、廣播節目中的插播廣告、穿梭在大街小巷的公車廣告、大而醒目的戶外看板廣告、住家前面的檳榔攤辣妹就是最佳的廣告、中午所吃的便當盒上的小廣告、消費者所閱讀的雜誌、家中的電話簿、路邊的招牌，以及電視節目的插播廣告等等。「諾基亞」行動電話的廣告詞「科技始終來自人性」，使每一款手機都具有人性化、簡單、容易操作的特色，以滿足消費者的通訊需求。所以，由以上而言，足以見證「時勢需求」創造「廣告」，也創造了「廣告」無所不在的時代。

雖然「廣告」無所不在，但是一個成功的「廣告」也不一定就要吸引消費者產生購買行為，因為有些「廣告」不是以產生利益為原則，只是在做一件自我行銷的策略罷了。

在美國就出現了與傳統廣告宣傳方式不一樣的廣告，因為這些廣告具有「出奇不意」的特質，往往所造成的效果會比傳統式廣告好上幾十倍，甚至幾百倍都有可能。或許就是因為這種另類廣告掌握住了最佳時機、地利，才能讓消費者在完全不設防的情況下跳入眼前，讓人留下深刻的印象，進而購買商品。下列的例子可作為參考。

廣告咖啡杯——在紐約的曼哈頓，由於人民生活壓力大，喝咖啡也就喝得凶，因此，幾乎是人手一杯咖啡。所以，腦筋動得快的廣告商把握住這個將咖啡杯印上廣告訊息的契機。

電話亭廣告——廣告主利用電話亭兩側之燈箱做廣告，甚至有在電話亭廣告板的上方，安裝一個小型液晶顯示器（LCD），可不停地變化展示各種廣告內容，而近來很多大樓在電梯前也都裝設了這種液晶顯示器，播放著各種廣告。

明信片廣告——將廣告印在明信片上，然後再送到消費者的手上。

為什麼我們不去學習別人成功的例子呢？美國大多數的加油站為自助式，可以發展成加油站碼表廣告，我們的廣告商也可以將此小螢幕廣告的概念，延伸到銀行的自動提款機，因為在你等待下個提款步驟的空檔，小螢幕廣告不就有機可乘了嗎？

十二、掌握客戶的眞正需求

區別「想要」與「需要」。例如，打算把功能簡單但還可以用的舊手機換成有許多功能的彩色手機；或者，當電腦硬碟遭到不可恢復的破壞時，應儘速替換新硬碟以便能正常工作。在這裡，一臺新手機是你「想要」的，而你真正「需要」的是電腦硬碟。理解這個細微的差別至關重要，可以區別客戶的「想要」和「需要」。

客戶會永遠把自己的利益放在第一位。如果你要做的事，直接或間接損害了他的利益，那麼便難以和他溝通了。和這種類型的客戶相處，你必須從心裡關心他們，讓他感受你發自內心深處的溫暖和可貴。

從深度上摸清客戶的情況，可以去圖書館瀏覽，從網路上搜尋，與瞭解對方的人交談。查看市場調查報告。像漁夫收網一樣全面收集這些資料，方便日後提出有利的證據來支持自己的立場。此外，要對收集到的資料進行查證，以確定其準確性如何。

非言語資訊，如肢體語言、手勢、面部表情和眼神等，生動地展現了客戶當時的心理活動，辨別肢體語言有助於掌握對方的真實情況。鮮明的肢體語言有，手臂或腿交叉，表示防禦心理；向後靠在椅子上，表示厭倦；小小的手勢和動作，例如猶豫、坐立不安，表示缺乏自信；抬抬眉毛，表示驚訝；從容謹慎的言談，表示說話者充滿自信、舒展自如；勉強的笑容和快速的說話，表示說話者緊張；想離開的人，會朝出口看並把身體面向出口。

「關心」，是贏得信賴的敲門磚，「信賴」猶如冬天裡的暖流，能掃除人與人之間的隔閡。「信賴」在銷售過程中，是最珍貴的觸媒，有了它，客戶不再對你設下防備的柵欄；有了它，客戶能夠坦誠向你訴說真正的期望，剩下的問題是如何盡最大努力滿足客戶的期望。

「關心」，不能只停留在口頭上，而是要拿出實際的行動。「關心」是，「你能知道客戶想什麼」、「你知道客戶的喜好」、「你知道什麼樣的資訊客戶需要，你會設法提供給客戶」、「不管生意做不做得成，我想和你做個好朋友」。

Loblaw超級市場是加拿大最大的連鎖商場，以不斷推出為客戶提供各種形式的附加服務而聞名。很少連鎖店能像Loblaw那樣徹底地貫徹這種經營理念。這些輔助措施為客戶提供了便利，客戶在此可以享受到一站式購物服務。

有銷售鬼才之稱的田中道信認為：「同一個客戶，人家跑三趟，你就要跑五趟。寧願白跑、空跑。不跑，是做不好銷售的。吃了幾回閉門羹就灰心喪氣，不行。如果你有時間為吃閉門羹而垂頭喪氣，倒不如把這段時間花在動腦筋上。」

田中道信拿著許多名片去跑業務，主要是用於吃閉門羹時。這時，他就會留下一張寫有「我來拜訪過，不巧您不在辦公室，失禮了！」這樣一段話的名片，並且往往收到比面談更好的效果。這樣反覆幾次後，客戶往往會主動地對他說：「麻煩您跑了那麼多趟，實在對不起！」於是，田中進攻的機會就來了。

田中道信說：「智力的高低和實力的強弱，固然是衡量人的標準，但好的創意，只有在十分投入你所喜歡的工作時才會產生。」

田中道信認為：「如果一開始就態度消極，那麼暢銷的產品也會變為滯銷的。在你對一件工作灰心之前，首先應確認自己的態度是不是積極的。」

十三、品牌塑造的盲點

1. **盲點一：「冰凍三尺，非一日之寒」**：許多行銷人員往往認為，建立一個全國性的品牌要花很長時間，大多數情況是需要很多年。但是，時間真的那麼重要嗎？優秀的現代行銷人員對此提出了質疑。他們發現，在「寶僑」的產品中，象牙牌香皂有一百五十年的歷史，「汰漬」五十年歷史，「佳潔士」四十年歷史。而「蘋果電腦」的歷史只不過才二十年多一點，在品牌的時間長河中，它只不過是一個小孩子，但是它卻有一大群狂熱的追隨者。

史蒂夫・約伯斯及「蘋果電腦」做過最重要的事情，是在「蘋果」成立的最初幾年所完成的壯舉：那是一九八四年，他們推出了「麥金塔」。美國線上在美國家庭的知名度高達百分之八十，但它還是一家非常年輕的公司。「雅虎」也是一樣。儘管這些公司歷史不長，但是生命力旺盛，也非常成功。它們的品牌在短短數年中建立起來。而「亞馬遜」網路書店幾乎是一夕成名的。

隨著最新通訊技術的誕生和發展，現在要想向全世界散播某條消息，變得快速無比，你甚至可以在一天之內做到這件事。

在科技產業通常有一個做法，就是在產品投入市場前幾個月，會向市場預告產品的概念。在Sony的超級筆記本電腦問世之前，Satjiv Chahil在網路上向科技迷發了一些私人電子郵件，然後他以特價向這些人士提供了筆記本電腦，原因在於這些人內行，同時又是朋友。結果如何呢？大批的人在產品推出之前就開始直接訂購，Sony快速建立品牌，選對了為他們做宣傳的人——那些真正對科技感興趣的人，他們帶著這臺小巧的電腦周遊世界，所到之處，掀起陣陣對這種電腦的狂熱追逐。

「品牌」的建立的確需要時間，但是對高科技企業現代優秀的行銷人員來說，所需時間是以「秒」為計算單位的。

2. 盲點二：「有的放矢」：很多年來，人們對品牌存在這樣的認識，品牌的目標消費者往往被描述成：「二十一至三十四歲之間的女性，有一個或一個以上孩子，家庭年平均收入二萬五千美元。」這種方法顯示，雖然某些人的生活模式是相似的，但是每個人卻各自不同。

儘管到今天，那些類似「二十一至三十四歲之間的女性」這樣的描述仍被廣泛地使用。但是。當人們對消費者瞭解的要求變高之後，這個描述就不再有用了。

今天，情況發生了極大的變化。事物發展的速度加快，資訊被大量提供，同時資訊的發布也採取了新的方式，組織共同合作的方式也發生了變化，這一切要求我們在建立品牌的過程中，必須讓資金合作者認識到這是一個不同的品牌。要記住，所有的事情都在發生改變。例如，「蘋果電腦」的「你最好的動力」品牌策略，儘管它對於某些消費者來說是非常有效的，但是在和其他人合作的過程中，這個策略或許是一個不利因素。

今天的「品牌」，生存在一個複雜、不穩定的環境之中。在這樣的環境中，生產商、經銷商、顧客、合作者、員工、投資者任何一方的力量都不可忽略。以前那個「一個品牌、一個對象」的簡單結構已經不復存在。現在的市場環境是不斷變化的、是有柔性的，有時一個品牌甚至會以多重身分同時存在。在這個環境中，「品牌」必須很廣泛，可以接觸到所有的目標消費者；「品牌」必須很簡單，可以讓所有人都明白；「品牌」必須很有內涵，可以向縱深發展；「品牌」還必須很特別，充滿個性化色彩。

3. **盲點三：「捨本逐末」**：曾經，在行銷領域占主導地位的看法，認為和消費者建立聯繫的樞紐是產品本身，而非生產產品的公司。所以理所當然地，人們會認為在消費者心中，「寶僑」不是一個重要的品牌，而「汰漬」的「洗滌劑」和「佳潔士」的「牙膏」，才是消費者心中重要的品牌。

但是，現代優秀的行銷人員發現，不能再按照這種方式運作了。產品的生命週期愈來愈短，本來一個產品可以流行九個月，現在居然開始向六個月的大關邁進。因此，如果只是為產品本身塑造品牌形象，龐大的花費起不了太大的效果，同時這個做法非常不經濟。現在，品牌建立的時間週期非常短，同時費用也相對減少。在這種情況下，生產商對於品牌的要求也提高了。他們希望品牌可以涵蓋產品未來的發展趨勢，或者具有向其他方向轉移的潛力。現代優秀的行銷人員已經發現了一條認識品牌的新方式，他們不再為某個可能會消失的產品塑造品牌，而是為整個公司塑造品牌。這樣一來，品牌的壽命可以無限延長，同時公司未來延伸的產品，都可以在這個品牌下盡情表演。

建立品牌很重要的一點是，要學會超越單一的產品本身，因為產品也許會很快發生改變。我們應該認真考慮，什麼才是品牌的深層核心？什麼是品牌不會更改的最基礎元素？

4. **盲點四：「品牌是由品牌經理決定的」**：的確，品牌經理可以決定「品牌」的承諾，決定「品牌」的特點和個性。除此之外，他們還可以決定什麼是最合適的定價、最完美的分銷方式，以及產品的投入量。品牌經理的職責還包括，指引廣告公司創作出最能打動目標消費者的廣告；他們還要負責起草和實施進入新市場的計畫。這些都是一個傳統意義上，受過良好訓練的品牌經理的職責。

但是現在我們發現，世界已經發生了巨大的變化。「品牌」的生存環境也變得無序且複雜。市場已變得顛三倒四、枝節叢生。現在的問題是，在這樣一個複雜的環境裡，我們該怎樣將自己的產品推廣出去？我們該如何面對新的現實？

市場上的全球化、合作和聯盟這些因素，令一個品牌經理的角色變得複雜，品牌經理需要面對的事情也就更多。一些有可能對品牌產生影響的因素會遠遠超出品牌經理的控制範圍。

「品牌」和消費者之間的關係不應只限於熟悉的程度，而必須是消費者的朋友。為什麼？道理很簡單，如果「品牌」只是一個你可以辨認出的事物，那麼它就像一個人，你知道他的名字，但是和你的生活沒有太大關係。然而，如果一個品牌可以成為你的朋友，你可以容忍對方各種不完美的表現。他們有時會激怒你，但是你依然會當他們是朋友；他們有時會令你失望，但是你會原諒他們。因為你們是朋友。

「蘋果電腦」長期以來和消費者建立了良好的「朋友」關係。如果沒有這些牢固的關係，他們當年的高層頻繁變動，一定會讓「蘋果電腦」面臨重大的打擊。「蘋果電腦」一貫出色的品牌形象，使公司在經歷了人事頻繁變動後，仍有喘息的空間，然後再致力於開發一系列的新產品。一九九八年，他們成功在市場上掀起轟動效應，給自己重新注入活力。

5. 盲點五：「品牌只是一個市場行銷概念」：只要談到「品牌」，就不可避免地會用到一些辭彙——「消費者認知」、「消費者使用態度」、「廣告和市場行銷活動」、「競爭地位」等等。所有的詞語彷彿只是和市場行銷有關，是一大堆的行銷概念。那些關注「品牌」的人，只是品牌經理或市場經理，或是公司的廣告部門、廣告公司等。而那些談論建立或延伸品牌的人，則一定是廣告公司的創意人員、廣告策略企劃、研究人員，或者是產品包裝形象標準的設計者。如果沿著這個邏輯思路，就可以理所應當地認為「品牌」是一個市場行銷概念。

但是，愈來愈多的優秀行銷人員意識到，「品牌」帶有豐富的金融涵義。可以這樣理解，一個強大「品牌」的最基本價值，體現在金融方面。

現在，「品牌價值」逐漸被視為資產負債表上的一個「單位」。事實上，現在英國的財務制度，允許將「品牌價值」列為資產的一部分。就像英國財務會計準則委員會的主席，在一九九〇年十一月的《管理會計》雜誌上發表的文章所談到的：「在財務報表上，應該將『品牌』當作一個單獨的資產看待，而不應將其視為信譽的一部分。」

現在請你考慮一個問題——如果把「可口可樂」分成兩個部分，其中一部分 擁有「可口可樂」的全部硬體資產，包括所有的生產設備、所有的瓶子和汽車；而另一部分只有「可口可樂」的品牌名稱和標誌，以及「可口可樂」的產品配方，那麼，你覺得哪一部分更有價值呢？

用心經營來吸納客戶

如果現在的你還年輕，在商場上打滾的時間仍不夠長，那麼你就更需要建立穩固而廣泛的人際關係網。也許你沒有好的家世，但無須為此灰心，要有好人緣，編織屬於自己的關係網並不難，你可以經常主動聯繫朋友、創造機會認識想結交的人、不輕易得罪別人、提升人緣層次、結交優秀的人……。一旦你的關係網建立了，就會發現這是一張不同尋常的網。

1.拉近與客戶的距離

有一位超級業務員，總愛送給客戶一枚帶有棒球圖案的小徽章，上面刻著「我愛你」三個字。

有時候，她也會贈送一些心型的玩具氣球給客戶，並對客戶說：「您一定很高興和我合作，對吧？」

而她最常做的事情是，把禮物送給客戶的孩子。她會蹲在地板上對小朋友說：「小朋友，你叫什麼名字？你好啊，你肯定是個乖孩子！啊！你手裡的玩具真有趣！」

「我有些小禮物要送你，你一定會喜歡，要不要猜猜看是什麼啊？」

說著，她會從包包裡掏出一大把棒棒糖，藏在手中說：「你猜猜這是什麼，猜對了就送你。」

然後，她會把小孩帶到女主人身邊說：「這一塊給你，其他的給媽媽收著，好不好？瞧，這兒還有一些氣球，讓爸爸先替你保管，好不好？你真是個聽話的乖孩子。好了，我要和你爸爸媽媽談事情了。」

在整個過程中，這位一流的業務員運用了「送禮物」的推銷技巧，無形中拉近了和客戶的距離，接下來的推銷也就容易多了。

行銷基本功

將自己和客戶的心理距離拉近，這是每個業務員都必須考慮的問題。一般說來，大多數的人並不喜歡一開始就顯得很熟悉，此時可以尋找其他切入點。模式有很多種，例如，和對方閒話家常、先一起吃頓飯、先從對方有興趣的話題開始聊起……。其實，無論採取什麼模式，對業務員來說都是一個很大的挑戰，而讓客戶、甚至是客戶的孩子喜歡上你，則是一個絕妙的方法。

2.用真心去「交陪」

一次，日本推銷大師夏目志郎去拜訪一位綽號叫「老頑固」的董事長。無論夏目志郎如何滔滔不絕，怎麼巧舌如簧，董事長就是三緘其口，毫無回應。

夏目志郎心想，這是自己第一次接觸到這樣的客戶，一定要迎接挑戰。於是，他靈機一動，使用了「激將法」。

夏目志郎裝著冷漠地說：「把您介紹給我的人說得一點都沒錯，您任性、冷酷、自私、嚴格，沒有朋友。」

這時，這位頑固的董事長臉一下子漲紅了，瞪得大大的眼睛看著夏目志郎。

「我研究過心理學。依我的觀察，您是一位面惡心善、寂寞而軟弱的人。您想以嚴肅和冷淡築起一道牆，防止外人侵入。」夏目志郎繼續說。

這時，董事長第一次露出了笑容。

「我的確不是一個太堅強的人，很多時候，我無法控制自己的情緒。我今年七十六歲，創業成功五十年，生平第一次見到像你這樣直言不諱的人，你很有個性。是的，我很軟弱，我拒絕別人，保護自己，不讓別人靠近我身邊。」

「我想這是不對的。您知道漢字『人』是怎麼寫的嗎？『人』這個字，包含著人與人之間相互依存、相互信任的意思，任何生意都是從人與人的交往中產生的。人不必偽裝，因為虛偽的面具會使內容變質。」

他們愈聊愈投機，最後成了好朋友。當然，董事長也成了夏目志郎的客戶。

行銷基本功

行銷無處不在，客戶也無處不在，端看你是否有「心」？是否用「心」？只要是一扇門，總有打開的方法；只要是客戶，就有可能打開他的心扉，探知客戶的需求之門。你可能推不開，但有可能拉得開；你可能拉不開，但有可能激得開。不要輕言放棄每一個可能的機會。

3.隨時展現你的關心

老王和老李都在賣豆腐，兩個人年齡差不多，叫賣的腔調一樣，都是尾部帶著悠長的餘韻，但兩人的生意卻大不同，老王的生意總是比老李的好得多。

開始時，大家都覺得奇怪，一樣是白嫩的豆腐，也沒有人偷斤減兩的；後來，人們漸漸發現了其中的奧秘。

原來，同樣是賣豆腐，老王比老李總會多說一句話，比如，張大媽來買豆腐，老王會邊秤豆腐邊問：「身體還好吧？」如果看到有帶小孩的太太來買，老王會說：「小孩長得很漂亮呢！很像媽媽喔！」還會問小朋友在家乖不乖之類的話。老王的話裡盡是透露著親切和關心。

時間久了，大家都把老王當成朋友，即使不需要豆腐，聽到他的叫賣聲，也要買一點回家放在冰箱裡，因為一句充滿溫馨的問候，總會讓他們心裡暖暖的。

而老李後來因為生意日漸清淡，就改行去了。

行銷基本功

做好行銷，不僅要深入市場調查，瞭解客戶的需求，還要研究客戶的心理，要像賣豆腐的老王那樣主動與客戶多說一句話，進行感情交流，以達到心靈溝通，讓客戶覺得你不是在向他推銷，而是在關心他、想著他，為他提供方便。先讓客戶信任你，並卸下厚重的心防，這樣客戶才會接受你的產品或服務。

4.與客戶成為朋友

有兩家商店同時裝修同時開業，商店設備也大致一樣，但經營了一年之後，甲店經營得比乙店好，也就是說，甲店賺了而乙店虧了。

為什麼同時開業，同樣的硬體，但卻有盈有虧呢？

說起來十分簡單。甲店的老闆喜歡和客人閒聊，久而久之，客戶的愛好也就全在老闆的瞭解之中。所以，當客戶要為家中老人買餅乾時，老闆就會說：「這位太太，老年人吃這種餅乾不好，您可以試試這種，這種餅乾比較容易消化。」或者他會說：「李媽媽，小朋友吃這種餅乾很好喔！因為這種餅乾添加了鈣。這種包裝的餅乾，送禮大方，價格便宜，高貴不貴，送禮自用兩相宜。」

當他看到王先生的太太沒有常來時，便會問：「王先生，夫人今天怎麼沒來？」

「她不太舒服，頭痛的症狀又發作了。」王先生回答說。

甲店的老闆就會像關心自己親人般地告訴王先生，頭痛要注意些什麼，有哪些醫師不錯可以去求診，並請王先生帶話給王太太，要她好好保重。最後，還不忘拿幾瓶雞精，要王先生帶回去給王太太喝。

行銷基本功

掌握客戶的心理，往往就是行銷制勝的法寶。甲店的老闆經營得好，主要就是因為他經常和客戶閒聊，在談話之中瞭解到客戶的需求，同時也拉近了自己和客戶的心理距離，進而使客戶有種安全感。客戶對於商家有信賴感，而商家也瞭解客戶的需求，這樣的行銷，豈有不勝的道理？

5.從客戶的愛好下手

嬰兒用品業務員史密斯，很想在一家大型商場裡舉辦一次促銷活動。他已經拜訪商場經理四次了，距離自己預期的活動時間也愈來愈近，但商場經理還是沒有理會，並且拒絕接見史密斯。

不得已之下，史密斯只能尋找其他的辦法。經過多方打聽，史密斯得知這位經理是個籃球迷，並且還是公牛隊的球迷。於是，他透過經理的秘書，遞了一張紙條給他：「下週的比賽，肯定是湖人隊大勝公牛隊。」不到五分鐘，經理就讓秘書請他進去。一進門，經理就對他嚷道：「怎麼可能會這樣？一定是公牛隊大勝湖人隊。」

史密斯等他講完後，就說出了自己的見解，並且認為公牛隊下週是不會大勝湖人隊的。

經理聽得非常仔細，也很認真。這個時候，他們根本就沒有談促銷的事情。談了兩個多小時以後，史密斯起身告辭，並且拿出一張門票說：「票就在這裡，抽個空，我們一起去看看？看誰說得對，如何？」

經理非常高興地收下了門票，並且還說自己的判斷肯定不會錯。就在經理拿下門票時說：「聽說你準備在我的商場裡舉辦嬰兒用品促銷活動，這樣吧！我們一起好好策畫策畫。弄完之後，再一起去看球賽，我要親眼看到我的公牛隊狂電你的湖人隊。」當然，此次的促銷活動成功舉辦了，他們兩人也成了很要好的朋友。

行銷基本功

一個成功的業務員，應該掌握多種方法和客戶建立聯繫。因為事實上，很多客戶並不喜歡和滿口效益的業務員在辦公室裡談話。所以，對業務員而言，應該意識到客戶其實也是平凡人，和自己一樣有著共同的興趣。業務員應該多花些心思去瞭解客戶的愛好和興趣，在這上面找到切入點，和客戶建立起相互珍惜的朋友關係，到那個時候，生意就更好做了。

6.吸引客戶的注意力

有位年輕人高斯，他在市中心鬧區租了間店舖，滿懷希望地做起保險櫃的生意。

然而剛剛開業時，他的生意慘淡無比。每天雖有不少人在他店前走來走去，店裡形形色色的保險櫃也排得整整齊齊，但卻很少有人走進店裡光顧。

看著店前川流不息的人群，高斯想來想去，終於想出了一個突破困

境的辦法。

第二天，他匆匆忙忙前往警察局，借來正被通緝的重大罪犯照片，並將照片放大幾倍，貼在門口的玻璃上，照片下面還附上說明。

照片被貼出來之後，來來往往的行人都被照片吸引住了，紛紛駐足觀看。人們看過逃犯的照片後，都產生了一種恐懼的心理，本來不想買保險櫃的人，此時也想買一個了。因此，他的生意立即有了很大的轉變，原本生意清淡的店鋪，突然變得門庭若市。

就這樣不費吹灰之力，保險櫃在第一個月就賣出四十八個，第二個月又賣出七十二個，以後的每個月都能賣出八十個左右。

不僅如此，還因為他貼出了逃犯的照片，使員警能順利緝拿到罪犯。所以，這位年輕人還得到警察局的表揚獎狀，報紙對此做了大篇幅的報導。而他也毫不客氣地把表揚獎狀，連同報紙一併貼在店舖的玻璃窗上，錦上添花，他的生意更加興隆了！

行銷基本功

人的消費心理，是可以透過外部的誘導和刺激來增強的。在廣告界也有「眼球效應」的說法，就是搶奪消費者的眼睛視線和注意力。作為行銷人員，須知「攻城為下，攻心為上。」只有抓住客戶心理，引起人們注意，才能激發其購買欲，讓客戶自願消費。

7. 商品應給客戶帶來新鮮感

某成衣廠的主要產品是男性汗衫，隨著生活模式的變化，這種老式的汗衫愈來愈無人問津，到後來，只有退休的老人才會穿，因此人們便稱其為「老頭衫」。

該廠的倉庫裡「老頭衫」庫存甚多，以致發不出工資。老闆想要轉產，但缺乏資金，困難重重，工廠幾度面臨破產的困境。

這時，有位年輕的技術員提出一個建議：「何不將庫存的白汗衫，在後背和前胸印上一些時尚或精美的圖騰、或是一些外國字等等，也許能打開銷路。」

他的理論根據是，年輕人有求奇、求新的心態，而在衣服印上流行感的圖騰或字型，正符合時下年輕人追求流行的感覺。

但廠裡很多人不同意他的意見，認為款式不變，只是印上幾個字，就想讓積壓品變為暢銷品，簡直是笑話！但廠長反而很重視這位年輕人的建議，決定先試印一小批，看看市場反應如何。

很快地，這批改良過的「老頭衫」上市了。令人吃驚的是，銷售情況出乎意料地好。第一批改良過的「老頭衫」上市後，備受年輕族群的青睞，成為市場的搶手貨，不久便被搶購一空。

於是，第二批、第三批改良過的「老頭衫」不斷上市，大量傾銷。該廠倉庫裡的庫存全部拋售一空，獲利高達百萬元。

行銷基本功

以「流行文化」、「時尚感」賦予「老頭衫」新的生機，實際上是迎合了人們求新、求變的心理，卻也達到了促銷庫存品的目的。這是一個很成功的推銷策略與變革。想在多變的社會裡求得一席之地，就要有這種迎新、求新的心態，不然，就只能無奈地被現實的社會所淘汰。

8.讓客戶愛上你的產品

從前美國有一家公司專門經銷煤油和煤油爐。公司剛成立時，便大肆刊登廣告，極力宣傳煤油爐的諸多好處，但結果收效甚微，其產品幾乎無人問津，貨物大量囤積，公司瀕臨絕境。

有一天，老闆突然靈機一動，讓手下職員登門向住戶無償贈送煤油爐。

職員們都不解，還以為老闆發瘋了，但看著老闆詭譎的神情，只得依令而行。

住戶們聽說這件事後，都非常高興，一個個競相給公司打電話，索取煤油爐。不久，公司的煤油爐就被索取一空了。

當時，由於爐具尚未現代化，人們生火煮菜只能用木柴和煤。這時，煤油爐的優越性就明顯地顯現出來，家庭主婦們簡直一天也離不開它。

很快地，他們便發現煤油燒完了，此時只能自己到市面上購買。雖然當時煤油的價格不低，但已離不開煤油爐的人們，也只得自掏腰包購買了。

後來，煤油爐漸漸用舊、用壞了，主婦們只好自掏腰包去購買新的煤油爐。

行銷基本功

在行銷過程中，如何在困境中想出行銷方法與妙招，如何讓客戶藉由試用、體驗產品的方式，進而對產品產生依賴與信心，應是行銷公司該好好思考的方向，也是行銷人員所要努力的地方。客戶一旦習慣、依賴了產品，也就是業績向上爬升的開端，因為，依賴和習慣帶來的就是購買了。

9.利用「廣告」，吸引眾人目光

利普頓火腿加工廠的生意一直都不是很好。可是，產品不管是從肉質，還是從口感上來說，都應該深受消費者歡迎，但是上市好長一段時間，市場反應一直很平淡。

廠長急了說：「這該怎麼辦才好呢？」

他來來回回地在工廠裡巡視，思索著到底是哪裡出了問題呢？

他不停地思索著，走到了屠宰豬的場所，忽然靈機一動，想出了一個好主意。他請來一位善於畫畫的人，要求他畫出了一幅引人注目的漫畫。

這幅漫畫很特別，畫上是一隻肥碩的小豬，正在痛哭流涕，表情就像一個無辜的孩子正對人們說：「我成了可憐的孤兒，我的父母、兄弟姊妹和所有的親戚都被送到利普頓工廠，加工成了火腿……。」

漫畫被做成精美的印刷品，張貼在工廠門口，還有一些被分發到各個超市和食品店。

大批大批的客戶到了超市和食品店，都要尋找這幅風靡一時的漫畫。「利普頓孤兒」漸漸深入人心。一個星期之後，這家火腿加工廠的生意就紅了起來。

行銷基本功

利普頓火腿再好，也只是自我感覺良好，如果不用「利普頓孤兒」廣告宣傳一番，恐怕還是會「養在深閨人未識」。由此可見，產品需要廣而告之，這樣才能引起消費者的注意，刺激他們的購買欲望。要讓顧客在短時間內就能認識自己的產品，最簡單、最直接的辦法就是「廣告」。

10.以新奇取勝

大街上，每隔一段時間就有身材微胖的男女三三兩兩走過，他們都有個共同點，那就是上衣和褲子都異常地寬大，不知道他們穿的是哪個胖子的衣服？還有一個奇怪的共同點就是，他們的上衣都印有「請借我五百元！」的大大字樣。

這樣奇特的隊伍引起人們的好奇，紛紛上前圍觀，把他們圍得水洩不通。

「你們為什麼會沒有錢呢？為什麼要以這種方式借錢呢？」

「我沒有衣服穿啊！您看，我的衣服都不合身！您看，這些衣服我還能穿嗎？」

「是不能穿了，可是這真的是你的衣服嗎？如果是的話，請問你是怎麼瘦下來的？有這麼神奇的減肥藥嗎？」

「有啊，我吃了××減肥藥，一個月後，就瘦了好幾圈呢！」

兩個星期後，××減肥藥就在此地打開了銷路，而且銷售得還不錯呢！

引發客戶的好奇心理，就要能夠出奇制勝，「出人之所未出，行人之所未行」。還要注意的是，「以奇制勝」是一個連續的過程，最好能一「奇」到底，從行業、生產、產品、廣告、行銷到服務，而且這個「包袱」，永遠都不要甩開。否則，好點子就會成了人盡皆知的騙局。故事中的成功關鍵，就是以「新奇」的產品制勝的。

這樣一招是你沒有想到的吧！與眾不同、新奇別緻的廣告，就是能產生與眾不同的效果。如果能讓你的廣告冒出新意，那麼你將會有一個新奇的發現。

行銷基本功

「廣告」是以特定的消費族群為對象，它可以創造出新的商品或是新的企業形象，使消費者可由「廣告」來判斷商品的優劣或企業的好壞。因此，在廣告作品中，「創意」是不可或缺的因數。尤其是想吸引消費者的新產品或新企業，用創意的廣告來增加知名度，更是必要的！一個富有生命力的「廣告」必須要有「新意」，以新鮮的面貌刺激消費者，才能引起人們的注意，進而產生與眾不同的效果。產生好的廣告創意方法很多，但是萬變不離其宗，廣告創意必須生長在調查研究的土壤中，準確定位，集思廣益，這樣才能獲得最佳的效果。

11.善用客戶「好嚐鮮」的心理

安東尼是一個出色的推銷員，深得老闆的賞識。

一天，老闆把他叫到辦公室：「你到倉庫去看看吧，那裡有一批讓我頭痛不已的東西，現在我希望你快快幫我把它們弄走，只要能收回成本就行，再也不要讓我看到它們！」

安東尼去了倉庫，原來是十幾筐的香蕉，因為存放不妥，使得外面表皮的顏色黑了不少。不過剝開一看，裡面還很好，不僅還能食用，而且口感很好。

「我是沒什麼辦法了，這樣的東西誰願意買呢？進價是十元一斤，少賠點，我也認了，你看能賣多少是多少吧！」老闆說。

安東尼找了一個工人，如此交代了一番，只聽工人開始吆喝道：

「土耳其香蕉！土耳其香蕉！」

周遭的人聽到後都好奇地走過來，圍住那個工人問個不停：「土耳其香蕉？長得就是這樣嗎？那裡還有產香蕉啊？不知味道如何呢？」

工人繼續吆喝道：「新品種，首次上市，價格優惠，一斤三十元，歡迎購買！」

不一會兒，前來品嚐和購買香蕉的客戶就變得絡繹不絕。這個價格比一般香蕉還貴，但奇怪的是，一個上午不到，香蕉就賣完了。計畫這一切的安東尼暗自高興，喜孜孜地等著回去邀功領賞。

行銷基本功

「土耳其香蕉」的確少見。俗話說：「物以稀為貴」，所以，即使價格較貴，人們也覺得可以接受，認為花高價品嚐一番也值得。西方諺語說：「好奇心能殺死一隻貓。」我要說的是，「好奇心」能打開客戶的錢包。一旦客戶覺得好奇，他們就想探個究竟，這就難免要付出一點代價。當然，要讓客戶產生好奇心理，必須有「奇」的東西才行。要麼是「新奇」，要麼是「奇怪」，要麼是「奇妙」，新也好，怪也好，妙也好，總之，你要有足夠吸引他的「奇點」。這樣一個「瞞天過海」的計謀之所以能大獲成功，關鍵就是利用人們的好奇心理和想體驗新產品的心情。

12.吸引客戶的注意力

有一個銷售安全玻璃的業務員，在其負責的區域內業績始終維持第一名。在一次頂尖業務員的頒獎大會上，主持人問他：「你是用什麼獨特的方法，讓業績始終維持第一名呢？」

他說：「每當我拜訪客戶時，公事包裡總是放著許多裁成五釐米見方的安全玻璃，並隨身帶著一個鍾子。在推銷過程中，我都會問他們『你相不相信安全玻璃？』當客戶說不相信時，我就把玻璃放在他們面前，拿錘子一敲。這時，許多客戶都會大吃一驚，同時他們也會發現玻璃真的沒被敲碎。然後他們都會感到很驚訝，忍不住說『天哪，真不敢相信！』這時我就會問他們『你想買多少？』直接進行交易，整個過程前後不到五分鐘。」

他講完這個故事不久，幾乎所有銷售安全玻璃的業務員拜訪客戶時，都會隨身攜帶一些安全玻璃樣品及一把小錘子。

但經過一段時間後，他們發現這名業務員的業績仍然維持第一名，因而覺得很奇怪。在另一個頒獎會上，主持人又問：「我們的業務員現在都做得很好，為什麼你的業績仍然領先群雄呢？」

他笑了笑說：「我的秘訣很簡單。我知道大家肯定都會模仿我，所以，當我到客戶那裡推銷時，唯一做的事情，便是把玻璃放在他們桌上，問他們『你相信安全玻璃嗎？』當他們說不相信時，我就把錘子交給他們，讓他們自己砸這塊玻璃。」

行銷基本功

這個業務員成功地做到了吸引客戶的注意力，同時也讓客戶對自己產生獨特的印象與信賴感。在推銷過程中，要掌握吸引客戶注意力的技巧，或用激昂的聲音、或用絢麗的色彩、或用特別的動作、或展現產品本身的優良品質來吸引客戶，如此，才能成功達到商品成交的目的。

13.施點小惠的妙用

美國紐約有一家油漆店，生意做得並不理想。油漆商特利斯克為了吸引客戶購買油漆，左思右想，終於想出了一個好主意。

首先，他到城市中進行了一番市場調查，確定了一批有可能成為油漆店客戶的人，然後，他將油漆刷子的木柄寄給其中的五百人，並附上一封商店的商品DM，熱情洋溢地告訴他們，可憑此函來店免費領取刷子的另一半——刷毛頭。

結果呢？只有一百多人前來。其中大部分的人除了兌換刷毛頭外，也買了油漆，但並沒有達到引來大批客人的原始理想。效果雖然不甚理想，但畢竟有一點成績。

「那怎樣才能吸引更多的客人前來消費呢？」

特利斯克心想，將油漆刷子的木柄扔掉，其實對很多人來說並不可惜，對客戶的吸引力也不大，要客戶為此專門跑一趟，他們未必會認為值得。但如果是一把完整的刷子，大部分的人就不一定會捨得扔掉了。而且，如果想買油漆的話，當然會想到贈刷子的油漆店。如果我再將油漆稍微降價，來購買的人肯定會比往日多。於是，他改了一種方法。

特利斯克給一千多個有可能成為客戶的人，郵寄了油漆刷子，同時附上一封信：

「朋友，您難道不想重新粉刷您的房子，讓貴宅換上新裝嗎？讓自己有換新屋的感覺嗎？

為此，本店特地贈送您一把油漆專用刷。

並且，從今天起三個月內，為本店的特別優惠期。凡是拿著這封信前來本店消費的顧客，油漆一律八折優待。

請大家一定要把握這次的良機！」

過沒不久，就有七百多人到商店購買油漆，他們也都成了特利斯克的老主顧。

於是，隨著愈來愈多人的光顧，油漆店的生意日益興盛，油漆商特利斯克也由此致富，成為遠近馳名的油漆經銷商。

行銷基本功

為了達到一定的銷售目的，適當地運用一些誘惑技巧，或以贈品，或以打折的方式來銷售產品，這都是目前行銷很常用的策略。因為，有時消費者並不如想像的那樣容易被我們的產品所吸引，所以，就必須使用一些行銷手段或優惠方式，甚至是免費試用，如此才能讓消費者接觸到產品。否則，即使產品再好也是無用武之地啊！

14.突顯產品獨特的賣點

一九二〇年代，美國有十家大的啤酒商在競爭。當時「施麗茲啤酒」（Schlitz beer）的業績並不佳，在市場競爭中排名第八。

當時，大部分的啤酒商都向顧客傳達同樣的訊息：「我們的啤酒最純！」但他們並未深入解釋「純」是什麼意思。

於是，「施麗茲啤酒」專門邀請了一位市場行銷專家做顧問，希望透過他能改變銷售現況。

這名顧問親自到啤酒廠跑了一趟，清楚知道了「施麗茲」是如何製造啤酒的。「施麗茲啤酒」製造廠設在密西根湖畔，湖水很清澈，但即使有清澈乾淨的湖水，他們還是深入湖底鑽取了兩個二百公尺深的水井。原來，他們要鑽到夠深，才能找到最好的水質，並將其中的礦物質調到最完美的程度，進而釀造出最好的啤酒。

他們在五年之內，進行了一千六百二十三次的實驗，以開發出最好的酵母，釀造最豐富的酒感及香味。他們的釀製過程也相當講究，水被加熱到攝氏一百度後，進行冷卻凝結，然後再加熱到攝氏一百度，再冷卻，這樣的做法要重複三次。

他們的裝瓶流程也有嚴格的標準，每一個瓶子都用攝氏六百度的蒸氣，殺死微生物及所有細菌，以免它們汙染啤酒的風味。每一批啤酒出廠前都經過嚴格的測試，以確保啤酒是既純又醇，然後才裝瓶送出。

這位顧問對啤酒的釀製過程深為佩服。他告訴「施麗茲」的管理階層，應該將這些特別的釀製啤酒方法告訴客戶。而「施麗茲」的管理階層則回應：「為什麼我們要這麼做？所有的啤酒商都是做一樣的事啊！」

但這位顧問瞭解「先發制人」的市場行銷概念。他說：「這個行業還沒有人這樣嘗試過。第一個說出故事，並且解釋原因及過程的人，在市場上將會得到明顯的領先地位。這就是行銷學所謂的『領先法則』。」

於是，管理階層採納了他的意見，在廣告宣傳中，他們特別強調了啤酒的釀造過程。客戶在看到有關「施麗茲啤酒」釀造及裝瓶的過程後，認識到「純」這個字對啤酒的非凡意義，進而對「施麗茲啤酒」產生了信賴感。

由於「施麗茲啤酒」使用了這種「先發制人」的行銷策略，在短短六個月內，從啤酒市場的第八名躍升為第一名。

行銷基本功

人們的想法中總有一種「先入為主」的觀念，正如「施麗茲」是第一，也是唯一強調自己的啤酒是如何釀造的啤酒商，結果就變成了他們的獨特賣點，在短期內，順利擴大了市場占有率，達到了自己的目的，也衝破了預期中的業績。行銷者應學習如何「先發制人」，進而「搶得先機」的行銷方式。

一、「熱誠」是吸引客戶的最佳方法

「熱誠」像抽水泵，你必須先倒水進去，才能抽出水來。先倒入你的「熱誠」，就會看到別人的熱誠源源不絕。

從早年的經驗中，我還學到「熱誠」的重要。我必須先接受產品，才能賣給別人；深信產品是人們需要的東西，而且價格合理，用「熱誠」去感染人們，讓大家喜愛我的產品或服務。

愛默生說：「缺乏熱誠，無以成大事。」卡內基也深諳此道。他以年薪一百萬美元聘請查爾斯・史查渥伯經營他的鋼鐵廠，因為史查渥伯能夠鼓舞員工的熱誠。史查渥伯說：「一個人有無限的熱誠，幾乎什麼都能做到。」

「熱誠」可以經由後天的學習而得到。我們大多有天生的膽怯，必須加以克服，才能成功地銷售。我用「控制聲音」的方法克服恐懼感，這同時也是培養「熱誠」的關鍵。

當我用熱誠的聲調說話時，沒有一個客戶會發現我在流汗、發抖。我歸納出五項準則，來訓練數千名業務人員，效果非常好。

1. 大聲說話。讓別人聽清楚，感覺到你是一個充滿自信的人。

2. 加快說話的速度，專注於你的主題。保持和對方目光的接觸，使你更有信心，思緒更有條理。

3. 停頓及加強語氣。在標點符號處略作停頓，強調重要的話。

4. 聲音保持微笑。含糊不清或不友善的語氣，將會扼殺熱誠，時常微笑，可以保持愉快的心情。

5. 抑揚頓挫。平板的聲調使人厭煩，偶爾降低音量，使對方必須專注地聽你說。在幾個重要的字眼上，突然提高音量，再恢復正常的說話速度。

這些方法很簡單，卻應用一項重要的心理原則——行為可以控制情緒。

你可以對所做的每一件事都懷抱熱誠。與人握手時，滿懷熱誠；打電話時，用愉快的心情將活力傳達給對方。

二、廣布資訊網路

「資訊」是推銷的基礎。能廣布資訊網，收集有關銷售的資訊，如此一來，便能使行銷業績提高到令人驚異的地步，進而成為一流的業務員。

有位人稱「德先生」的業務員，是個受大家喜愛、歡迎的汽車業務員。每天早會開完，他向經理簡單報告一下今天要拜訪的客戶後，就隨即出發。上午與十位客戶面談，乃是例行之事。而面談時，他總是問問車子狀況，或者幫客戶看一下引擎，加一點油，令每位客戶都很喜歡他。

有時，還會不經意地講一聲「林太太，上次您跟我提的那位朋友，最近怎樣啊？拜託您啦！」如此若無其事地，又把一位新的客戶納入自己網路，這就是德先生以「售後服務」的訪問，把現有客戶當成強而有力的資訊來源，來招攬未來客戶的絕招。

德先生以兩種對象作為自己的資訊來源。第一種是跟自己來往過的客戶；第二種是鄰近地區的商人，因為他們是第一手資訊的收集者，尤其是雜貨店、小吃店的老闆娘，只要見面，就會有資訊產生；接下來就是鄰里中有威望的人，一些商店的老闆，或是在本地有號召力的太太，要是讓他們討厭你的話，你的業務根本無法在本地擴展。

在公司裡，要尊重長輩、先進的意見；見面時常給予禮貌謙虛的招呼；也可利用一些同鄉同校的關係，以私人的情誼為線索，開展人際關係。在社會方面，德先生也常接觸到社會上一些有名望，各方面皆具有影響力的人，跟這些人見面時，最好是坦誠述說自己的來意，使他看重你。因為這類人，看人的眼光很準確。不要藉由一些小伎倆來矇騙人，以自己的真材實料跟他接觸，這是很重要的。

人與人之間的往來，就像一張蜘蛛網，需要細心地維護，斷掉一根線，就可能失掉一大堆資訊，所以維護這些線索時，絕不可偷懶。例如，當得知你的客戶發生重大事故時，應該給予一些關心，送點禮物，或寄張明信片，表示你的誠意。能擁有屬於自己的資訊來源，並將其擴大，是你突破業績的最佳方法。

三、順利完成拜訪前的電話聯繫

巴克・羅傑斯認為，推銷員先用電話聯繫再出門拜訪，是一件很必要的事。他說：「如果不事先聯繫，就直接出門拜訪，會相當浪費時間。」請看以下的案例：

麥克是一位有專業素養的推銷員，他認為，在沒有獲得對方的邀約之前，任何推銷上的說服行動都是沒有必要的。先和對方敲定見面的時間，再於見面時展開縝密的說服行動還不遲。

「電話」是與客戶聯繫成本最低的工具。所以，推銷員常常利用電話與客戶聯繫，尤其對於未曾謀面的客戶，更要以電話約定拜訪的時間。

用電話聯繫客戶，必定會遇到公司「守門人」在電話裡問長問短的困擾。如果被問出什麼破綻，免不了遭受「被掛斷電話」的懲罰。對方的職位愈高，這種困擾的程度就愈大。

所謂「守門人」，指的是電話總機、秘書或助理。他們通常都會過濾打進來的電話。

如何使自己打出的電話，被認定為「值得接聽的電話」，是一項值得探討的推銷技巧。

麥克第一次打電話時，就能夠叫出比爾的名字，這是成功的做法。

在電話中，麥克不讓秘書問太多的問題，以免製造出一個讓秘書掛斷電話的機會。不管「守門人」怎麼說，麥克一心一意要跟當事人通話。如果麥克的意志稍有動搖，他很可能失去與比爾見面的機會。

四、接觸的成功與否，決定你的勝敗

交易的成功與否，百分之八十決定在接觸方面。前面我大致已提過如何成功的接觸客戶，現在再重新歸納一次，列舉如下：

1. 給客戶一個好的印象：大家都知道，人與人之間相處的第一印象特別重要，而要讓別人對你第一眼就產生良好的印象，其中有幾個要素：

(1) 微笑與開朗的表情

(2) 以明朗的聲音與客戶打招呼

(3) 以誠實的態度和客戶對談

(4) 動作敏捷有力，不要給人拖拖拉拉的感覺

(5) 服裝儀容整齊清潔

2. **洽談時，儘量製造融洽的氣氛**：最重要的就是，必須以輕鬆的心情面對客戶，並且話題不要侷限於商品上，也可以聊聊一些輕鬆話題，才能帶動氣氛。

3. **以誠懇與自信之心來對待客戶**：一般而言，客戶對推銷員往往帶著些許的戒心，因此，如何消除客戶對你的戒心，讓客戶願意放鬆心情和你交談，就得靠自信與誠懇之心了。

上述所提之三項接觸條件，通常百分之八十會決定你的成功與否，因此，如果在接觸方面不及格的話，以後再如何努力都是徒勞無功的。

真正的微笑，一種令人心情溫暖的微笑，一種發自內心的微笑。密西根大學心理學教授詹姆士．麥克奈爾說：「有笑容的人在管理、教導、推銷上會有功效。笑容比皺眉頭更能傳達你的心意。一個紐約大百貨公司的人事經理告訴我，他寧願僱用一名有可愛笑容而沒唸完中學的女孩，不願僱用一個板著臉孔的哲學博士。」

五、用心經營各層級的人脈關係

傑克森是一家外貿公司的經理，工作之餘，喜歡邀請一些同行中的朋友喝咖啡、聊聊天。一天，一位貿易公司的老總打電話對他說：「老兄，告訴你一條重要消息，棉毛靴在俄國的銷路很好，那裡的好多城市都已經斷貨了。我沒有外貿經營權，這筆生意做不了。不過，這對你來說，可是不可多得的好機會啊！如果你能出口一批棉毛靴，肯定會有賺頭的……。」

傑克森放下電話，立即和俄國的業務朋友們聯繫，證實事情的確如此。他欣喜若狂，立即購進十萬雙棉毛靴，委託他在俄國的朋友負責銷售。訂貨的電話紛紛打來，不到一個月，傑克森就賺了上百萬元。其他幾家貿易公司得知這件事情後，也開始出口棉毛靴，但是，傑克森已經搶先占領了市場。一段時間過後，搶購靴子的熱潮退了，市場漸漸冷卻下來，跟風者所賺也很少。

春風得意的傑克森慷慨地請朋友們大吃了一頓，半醉之際，對告訴他重要消息的朋友說：「要不是你我這層關係，我哪有今天的收穫啊！」

傑克森的話，確實是發自肺腑。從他的財運可以看出，多一個朋友，多一層關係，在商場競爭中就多一分優勢，就有可能占盡先機。

對商人來說，「關係」是一筆重要的無形資產，一旦和發財的機會融合，就能衍生出不可思議的利潤。

細心觀察那些成功的商人，你會驚奇地發現，他們不僅是賺錢的高手，更是人際關係的藝術家，沒有誰不具備優良的社交能力。對一般人來說，「人際關係」意味著生活的和諧與心情的舒暢，而對商人卻有著更為特殊的意義，那是他們成功的重要因素。

1. **人脈關係可以網羅商機**。你的某位朋友會在適當時機，把適合你發展最新的重要資訊告訴你。你可以據此調整經營策略和方式，搶先占領市場，這是你怎麼辛苦努力也得不到的機會啊！

2. **人脈關係可以獲得實惠**。商人之間的關係，大多由業務發展而來。在相互交流的過程中，雙方不僅會在利益上互相依存，還會在感情上互相信任。所謂「互惠互利」，對方為了實現自己的利益，勢必會分給你一點實惠，沒有人願意無條件地把利益送給不相干的人。

3. **人脈關係意味著無處不在的方便和支援**。在外，有業務夥伴的幫助；在公司，有同事的幫助、員工的支持、上司的信任；在家，有親朋好友的鼓勵和安慰。廣泛的關係網會讓你受益無窮，得到全力的支持。聰明的商人善於「籠絡」人心，在處理好外部關係的同時，還不忘鞏固「後院」。

「行銷」是「一切」，「一切」靠「人脈」，利用「五同」來找關係，所謂「五同」指的是：同學、同好、同鄉、同事、同胞。也就是說，沒關係，就找關係；找不到關係，就想辦法發生關係。但終極目標是建立長期忠誠的夥伴關係。有了關係，生意就會靈活、方便，各個環節暢通無阻，才能帶給你機會、利益和幫助。雖然它不是金錢，卻勝似金錢；不是資產，卻形同資產。

六、用心建立人際關係

一封謝函便可決定業務員的未來。或許，你聽了這句話，會質疑地一笑置之。如果你只想安穩地做個最起碼，或中、下流的業務員的話，這種寄謝函的事，你大可不必理會。但如果你想在工作上求得更好的表現，打出自己的一片天，或者想在公司求得更優秀的職位，且聽我的忠告，你的夢想會有實現的一天。

無論如何你非得建立起大約五百個以上的人際關係不可。這個數目從你寄出的賀年卡便可得知。算算寄出去的張數，或許比算接到的張數更為重要。業務員是被歸類為「動口不動手」的人。仔細瞧瞧身邊的業務員，除了公事上需要的報告之外，有幾個人是願意提筆的？大部分的人連張明信片都懶得寫呢！所以，要和別人競爭，這是重點，也是你能贏得勝算的王牌之一。

陳先生是房地產業務員，自學校畢業已有八個年頭，一直都在房屋仲介業服務。他每天都要和八至十名的客戶接觸，而這些與他接觸過的客戶，他都會寄上一張謝卡。畢竟對這些客戶而言，如果各家公司的商品及價格相距不大的話，貨比三家之後，可能就會以業務員對自己的親切度來做考慮。陳先生在訪問的當天便寫了謝卡，對客戶能在百忙之中抽空和自己見面，使自己的公司能在房仲業中占有一席之地，客戶今後要做任何購買決定的話，希望自己能幫得上忙，對客戶傳達自己的心意，措辭懇切。因此，在客戶心中樹立了親切有禮的印象。

很多業務員都忽略了「信用」這張王牌。而這個重要的制勝條件，只需要一張明信片便可取得。寄了一張賀卡，便保有許多潛在客戶及有力的預定客戶。原來的客戶也會向其他客戶推薦，源源不絕的客戶便會自動找上門來。假使，你的前輩或上司中，也有認真寫謝卡的人，可以問問他們效果如何？多半的答案是：「這是我一生取之不盡，用之不竭的財富。」

七、巧用婚喪喜慶的機會

婚喪喜慶對銷售活動而言，是一個大好的機會。特別是結婚典禮，如果你忽略了這個大好機會，你的銷售成績將減少兩成以上。

首先，結婚是人生另一個生活的開始，業務員應該先從一些家庭的生活用品著手。以書籍銷售為例，對新婚家庭而言，最實用的莫過於家庭百科全書，亦即家庭醫學百科、生兒育女百科、幼教百科，乃至於將來孩子出生後給他閱讀的兒童百科叢書。其他如家電、家具、存款、保險等都可適用，像這樣以客戶新生活的開始來配合提供商品，是極容易銷售成功的。

其次是葬禮。葬禮亦是推銷產品的好地方。也許你會納悶，葬禮能夠推銷何種產品？其實很多方面都可以好好利用的，特別是針對一些銀行的業務員，因為葬禮結束後，隨即都會牽涉到有關葬禮的資金運用或存放奠儀的情形；或是遺產的分配，喪家都會考慮用到銀行存款，這時，他們不但是你最好的客戶，你也是幫助他們解決困難的幫手，何樂而不為呢？

婚喪喜慶是人生中的大事，每天、每個家庭都有可能發生。不論你所經手的商品是什麼，都一定要好好利用這些活動。不過，值得注意的是，在商品銷售之前，要先廣泛收集資料、培養人際關係，只有這樣才能出奇制勝。

八、用心讓老人家成爲你的強力助手

城市中，夫婦都上班的比例超過四成，白天只有老人在家的家庭很多。像這種家庭，業務員通常只留下名片就抽身而退。其實，這些老人家才是銷售的強力幫手呢！

各位一定認為，保險套和老太太是不相干的兩碼子事吧！那就大錯特錯了！從事保險套銷售的黃小姐，經常就從老人們那兒下手，而且通常都奏效。「太太（千萬不可稱呼老太太），您知道嗎？這是對身體最安全的避孕工具。薄薄的用起來跟沒用時的感覺幾乎是一樣的。」然後直接把樣品拿給她看，用簡單明瞭的方式詳細說明特徵與功能。「哎呀！這叫我怎麼用，推薦給我媳婦還差不多。」「是呀！可以推薦給您的媳婦使用。這樣就不用經常擔心是否懷孕了呀！像您這樣人生經驗豐富的長輩，您不教她，有誰還會去教她呢？」「可是我媳婦根本不聽我的話呀！」「怎麼會呢？您的媳婦若知道您這麼關心她，一定會對您言聽計從的。」由於黃小姐的熱忱與鼓舞，老太太就以長輩的身分，熱心地向媳婦推薦。因為婆婆的熱心推薦，致使媳婦體會到婆婆的關心，連帶地使婆媳感情趨於和睦。

認為對方不是直接消費者而予以輕視，這是錯誤的。老年人擁有年輕人所沒有的人生經歷，如果只是利用他們作為名片的傳達者，實在太可惜了！

另外值得注意的一點是，如果妳是一位女性業務員，對待老太太最大的秘訣是，不要讓她覺得「現在的年輕人，都丟下先生孩子不管，自私地做自己想做的事。」從事服務業的陳小姐，是個主張女性自主的職業婦女，但是當她面對的是老婦人時，必定擺出一副可憐相，並用以下的話來先機制敵：「我家裡有三個小孩，因為經濟不太寬裕，只好出來工作，每個月多賺些錢貼補家用。」或是「像我這樣人生經歷還不夠，如有不懂之處，請您務必多多指教！」如此一來，只要老人家一高興，必定會義務幫你大力推銷產品，甚至自掏腰包買來送人呢！

九、用心瞭解客戶的喜好

有一對夫婦結婚十年，一直沒有孩子。因此，太太養了幾隻小狗，把小狗視為兒子般疼愛。

有一天，先生一下班，太太便嘮叨起來，說來了個推銷員，看到小狗在她跟前繞來繞去，卻視若無睹，她又傷心又生氣，哪裡還有心光顧他的商品。

又有一天，先生一下班，太太便興高采烈地說：「你不是說要買車嗎？我已經約好了T汽車公司的人星期天來洽談。」

先生一聽，甚為不悅：「我是說過要換車，但沒說過現在就買呀！妳為什麼自作主張呢？」

原來，T汽車公司的推銷員也是愛狗之人，看到這位太太養的狗，便大加讚賞，說這種狗毛色漂亮，有光澤，又清潔，黑眼圈、黑鼻尖，乃是最高貴的優良品種。說得這位太太芳心大悅，如見知音，對這個推銷員產生的好感自不在話下，很快就答應他星期天來找她先生進一步詳談。

這位先生確實想換一輛新車，但他優柔寡斷，一直拿不定主意換什麼車。既然推銷員上門，看看又何妨。

星期天，這位推銷員依約上門，當然是賣弄了一番唇舌。這位先生哪裡防得了這一番「綿裡藏針」之計，終於「當機立斷」，買下了推銷員介紹的車。

像這對夫婦的故事實在太多了！「愛犬」如此，那「愛子」就更不用說了！

看到一個小孩蹦蹦跳跳，東摸西抓，片刻不停，你也許會心中生厭，但作為推銷員，你卻必須對他母親說：「這孩子真是活潑可愛！」

「啊，這孩子很淘氣。」他母親也許會這麼說。這時你千萬不能附和，最好誇獎地說：「哦，聰明的孩子都這樣。」

孩子是父母心中的「小太陽」，看到孩子，不管可愛與否，推銷員應該說的是：「喔，好可愛的孩子，幾歲了？」這樣一定能打開對方的話匣子，把小寶寶可愛聰明的故事如數家珍地說上一大堆。這種熱烈的氣氛自能「融化」她的藉口，順利推銷你的商品。

小孩、寵物、花卉、書畫、嗜好等，都可縮短雙方的距離，對銷售成功具有推波助瀾的作用，推銷員必須善加利用。

十、知己知彼：用心洞悉客戶心理

一板一眼的推銷法已經落伍了。有些人即使疲於奔命，揮汗如雨地四處奔走，業績仍無法提高；但有些人不必如此努力，卻能維持極高的銷售業績，原因何在？你會發現，有些業務員能與客戶侃侃而談，最後順利地取得訂單；而你只能張口結舌地在一旁暗自佩服。對你而言，這樣的能力簡直令人歎為觀止，就像變魔術一樣。

如果你也想擁有這樣的能力，不妨向上司或前輩請教，向他們學習「忍讓客戶」的辦法，而且要替自己想出一套與客戶商談的模式。這種能力簡單地說，就是一種根據客戶心理的轉變，推展商談的能力。

首先，必須培養觀察客戶心理的能力；然後再觀察客戶期待的是什麼，以客戶所期待的話來回答他，直接切入他的心理；最後，再將客戶帶到購買商品的關鍵點。此時，這筆生意大概就跑不掉了。這種能力的培養，需要靠平時的訓練。

在最初與客戶接觸時，應該先判斷客戶對自己的感覺。一旦察覺對方對自己有警戒心時，先不要急著與對方爭辯，在言談中，若無其事地流露自己的誠意，以鬆懈客戶的心理防線。如果客戶還有疑慮，不妨先以親切的態度與客戶閒聊，使客戶放鬆心情，在輕鬆的氣氛中切入正題，會使商談進行得較為順利。

促銷產品時，可以充分發揮自己的觀察力，從客戶的眼神、表情及行動來判斷他對商品的興趣及心態。如果發現客戶的心思不集中，或明顯表示不感興趣時，可以突然停止說明，或用詢問對方的方式，使客戶的注意力及思路轉移過來。不要一味地以公司的資料進行說明，反而要巧妙地提出能吸引客戶興趣的話題，判斷客戶所提出的拒絕理由，可信度有多少？客戶拒絕的程度有多大？一切視情況來隨機應變。

有很多剛入行的新手，對於附和客戶的話、正確掌握時間及帶動現場的推銷技巧，感到十分棘手。但只要記住一個法則，那就是設法瞭解客戶的心理，並迎合他的口味即可。這種能力隨著銷售經驗的增加，自然能培養出來。從現在開始，不妨努力嘗試，你會有意想不到的收穫。

十一、製造人情小禮物

人們大多喜歡別人對自己的孩子表示友好，所以，你會蹲在地上對小傢伙說：「小朋友，你叫什麼名字？你好啊，強尼。你肯定是個乖孩子，對吧？啊！你手裡的小喜鵲可真漂亮。」然後，你會讓強尼和你一起爬回座位，而他的父母親正在一旁看著這一切。「強尼，我有些小禮物要送你，猜猜看會是什麼？」說著，你就從座位上的包包裡掏出一大把棒棒糖來。在這整個過程中，你對小孩的友好態度，也是你促銷的手段之一。顯然，客戶怎麼可能對一個願意與其小孩一起玩耍的人說「不」呢？

客戶或許想抽根菸，摸摸口袋卻發現已經抽完了。

「請稍等一下。」你會這樣說，並且很快從自己的包包裡拿出十種不同牌子的香菸，「您習慣抽哪一種呢？」

「給我『萬寶路』吧！」

「那好，給您。」你打開一盒「萬寶路」，遞一根給他，再幫他點燃，然後把剩下的交到他的手裡。記住，同時也把你的名字刻在他的腦子裡。

「真是謝謝你！我欠你的太多了。」

「喔，千萬別這麼說。」你要回答說。

你就是要讓他感到欠了你的人情！

實際上，你的那些人情小禮物和那種巨富比起來，只能算是小巫見大巫。譬如，一些有錢人一擲千金，就為了一張超級籃球賽或職業棒球賽的門票！也許最闊綽大方的例子，應該是賭場老闆們。他們的附贈小禮品是什麼？是一張張頭等艙的往返機票，一套套高級豪華的服裝，一頓頓讓人大開眼界的佳餚美味。一句話，客人們想要什麼，就有什麼。他們把「送禮」當成一門「科學」，簡直稱得上是心理大師。而客人們感到體面光榮的同時，自然會掏錢購買大堆大堆的籌碼，興致勃勃地擲下骰子。另一方面，賭場從客人們身上賺回的錢，卻是比客人付出的還要多許多倍。

一般而言，人情禮物應當相對地便宜一些，否則的話，你的客戶會覺得像是收了什麼賄賂禮物，而且有可能認為你想收買他。所以，一些對此敏感的公司會禁止所屬推銷員花錢請客戶吃飯。建議你在推銷之前最好多做準備，要確認禮物能被客戶所接受。禮物太昂貴的另一個危險是，客戶有可能寧可不收禮物，會反過來要求你降價賣產品給他。

十二、用心說感謝

誘導客戶買房子，不是件容易的事，其過程的艱難可以用「披荊斬棘」來形容。

客戶的購買行動，可分為下列階段：

1. 注意（ATTENTION）
2. 感覺興趣（INTEREST）
3. 欲求（DESIRE）
4. 記憶（MEMORY）
5. 行動（購買）（ACTION）

這就是所謂「AIDMA」法則。而最好的銷售方法，就是循此五階段，逐步進攻。這個法則須與「謝意表示法」並用。換言之，從一到五的步驟內，業務員都要靈活運用「謝謝您」，分析如下：

1. 客戶忙得不可開交，卻仍願意抽空聽我說話（感謝）。
2. 並且他對產品表示出興趣來（感謝）。
3. 他有想購買的念頭（又感謝）。

4. 他把我的提案記在腦海中（再感謝）。

5. 終於有了具體行動，肯跟我簽約（無比的感謝）。

有些人有一種錯誤的觀念，認為「謝謝您」僅用於交易完成的感謝語上。事實上，「謝謝您」在銷售過程中，扮演著催化的作用，以下舉幾個例子。

在銷售過程裡，常見客戶有些許的購買意願卻遲遲未決，這時，你如果立即說「謝謝您」，便可探出客戶的購買信心是否建立。如果他意志不堅定，便會問：「請問價錢如何？」同樣地，如果尚未決定要買，他會回答說：「我還沒決定要買，何必謝我？」接下來，客戶便會詢問各種購買產品上的疑問，這時，你就可以清楚知道客戶遲遲不買的原因。而「謝謝你」便可派上用場了，它不僅促進了購買意願，也刺激客戶決定購買的速度。

像我們有時候在介紹產品後，會想試探客戶的想法，就問：

「這些都是非常實用的，小姐，替妳的家人或朋友買一個吧！」

「那一般可以使用多久？價錢是多少？」

這時，你可以馬上接著說：「謝謝您！這個產品至少都可以使用二十年，但一般顧客實際使用都超過二十五年哦！您放心。」

「那價錢最低到什麼程度？」

「謝謝您！我算您×元好了。」依照上述模式進行，可讓客戶產生產品已買下的錯覺，猶如一把利刃直指客戶心中的購買點。

另外，有種客戶喜歡獨立沉思，有經驗的業務員會耐心等候，等到客戶一開口詢問，就馬上回答說：「謝謝你，這一點你不用擔心。」等到他明瞭和信任後，馬上促成「真是謝謝您！這個產品雖然貴了點，但很多客人反應都非常好用，又再推薦朋友來買，您就買下來吧！」

利用這種方式，便可挑起客戶購買意念，並化解他的抗拒。當然，客戶如果開始仔細地檢查產品和詢問，你可別錯過這強烈的購買訊息。這時唯一可使用的方法便是「謝謝您」的推進法。不管他是批評或是質疑，都能幫你達成銷售目的。

一言以蔽之，業務員應適時地說聲「謝謝您」，藉以強化客戶購買的意願。到了第五階段（購買）時，還要運用最後收場的技巧。客戶很可能因業務員的「拜託」或「您要哪一個」的殷勤接待，而不得不做一個結論。總之，以表示謝意為基礎，再配合其他收場方法，會產生極大的效果。

十三、用心做到鄰居都說好

無論何種產品，若能在某一家成功銷售出去的話，等於打通了這一帶的社區市場。所以，一旦獲得訂單，千萬不可志得意滿地就此打住，應將這些住戶列為攻克目標，這是相當值得注意的事。

有個擔任太陽能熱水器的推銷員，照這個方法實行之後，意外地發現，市場普及率愈高的地區，往往銷售額要比普及率低的地區更高，這是因為普及率的提高帶動銷售額的增加。特別是普遍已經裝設熱水器家庭的附近地區，推銷起來就相當容易成功。當然，不可否認的是，商品本身的經濟性，也有相當程度的關係，但是「那家已經裝了，我們也來裝一臺吧！」像這樣的社會性需求，常促使人購買三萬至四萬元的商品。而這種傾向，在農村更為顯著。其他的商品也可利用此種心理，「陳先生和林先生家也都向我們訂了一臺呢！」向客人提出熟識的人已購買的資訊，使客人產生熟悉的安全感，「所以，府上是不是也考慮買一臺呢？」如此步步為營地進逼對方，往往能提高銷售業績。

在大、中城市，經常採取此種行銷方法的，便是鋼琴的銷售。業務員懂得利用父母「望子成龍，不願孩子輸給附近小孩」的心態去進攻，就非常容易在高級住宅區攻城掠地，將商品順利地賣出。但是，為了把這區域變成自己的地盤，先要做好充分的準備工作。在攻下其中一家後，便大肆宣傳，敲鑼打鼓，如迎神賽會一般，熱熱鬧鬧地將商品搬運過去。如此，便將住宅區附近的潛在客戶猶如地瓜莖蔓牽連般地，一一掌握在手中。接下來的重點是，將左右鄰居潛在住戶培育成預定客戶。對第一家的售後服務，絕對要做得漂亮、徹底，絕不能讓對方有任何不滿。「先考慮一下」，或「找另一家看看」，如果第一位客戶對詢問的人這麼回答，那麼你就前功盡棄，完全失去了這地區的潛在客戶。如果能讓對方成為你得力的助手，介紹極有可能購買的潛在客戶，那是最好的，猶如建立了堅固的壁壘一般，輕易地拿下那一區。

但事實上，許多業務員根本沒想到這點。好不容易得到一個客戶後，便覺得心滿意足，哪還想到要繼續加把勁，將這地區的客戶變成自己的呢？有能力的業務員，常會想著如何由一家客戶拓展到更多的客戶。

但更重要的是，我們銷售的東西絕對是對客戶有益的。如果是蓄意欺瞞客戶，強勢銷售對客戶「有害」的東西，那就萬萬不可了！因為我們要帶給客戶的是「希望」與「夢想」，所以，所銷售的商品也一定要帶給客戶這樣的感覺才行。

永遠以客戶爲焦點

顧客心理學是一門高深的學問，顧客滿意學更加值得深入探討，而要如何掌握，使之為你的產品瘋狂，那就要看你有沒有用心去對待顧客。行銷可愛之處在於，有幸與許多人接觸。即使這次談不成的生意，不代表日後永遠絕望，得體的應對必能留下好的印象，為下次的洽談鋪路。既成的客戶更該真心經營，客戶不只是客戶，更可以是朋友。更重要的是，他們會樂意且積極地為好朋友提供銷售機會的，藉由他們的引見，可以為你擴大客源，是最溫暖、最不費力且最有勝算的銷售方式。

1.多為客戶著想

IBM能在短短九年的時間內，從絕望的谷底重返事業高峰，IBM的前任董事長兼執行長葛斯納功不可沒。但葛斯納所做的事其實很簡單，就是重新回歸企業經營的原則——清楚定位及公司遠景、擬定可行的策略，還有「Just Do It」！

葛斯納上任後第一個挑戰，並非化解外界對他非科技背景的質疑，而是確定IBM公司定位這樣的基本問題。葛斯納是這麼告訴數十萬IBM人：「IBM該多和客戶聊天，傾聽客戶的需要，並且找出令客戶滿意的方案。」

「替客戶著想」並不是個新概念，差別在於如何執行。葛斯納上任後不久，驚訝地發現，當他要求業務單位為他安排客戶執行長的拜訪名單時，只習慣和設備採購主管打交道的IBM，竟然湊不滿二十人！葛斯納決定親自行動，先在維吉尼亞州安排了一個會議，邀請IBM前兩百大客戶出席，目的就是瞭解客戶心裡是怎麼看待IBM這家公司。當客戶們反映IBM主機軟體的價格太高時，葛斯納馬上決定給予客戶三成的折扣；當客戶們說，IBM的硬體運算平臺不夠開放、好用，葛斯納立刻要求IBM積極推動建立共通產業標準，像昇陽的Java語言就是一個例子。

此外，葛斯納將一半的時間都花在客戶身上。他親自登門拜訪企業最高主管，討論產業的未來，瞭解客戶對IBM的期望，而這是過去IBM從未做過的事。所以，當葛斯納帶著管理團隊拜訪IBM的大客戶「寶鹼」（P&G）時，簡直讓「寶鹼」的人受寵若驚。

葛斯納也發現，要讓客戶重新認識IBM，不只是業務運作模式要改變，IBM更應該積極走出自以為是的藍色城堡，多跟外界溝通。

由於IBM的原本組織內，尚無行銷部門的編制；於是，葛斯納授命科思塔曼成立行銷部門，統籌IBM對外品牌形象及溝通管道的建立。現為IBM行銷資深副總的科思塔曼，過去曾經成功地替「美國運通」推動白金卡業務。在他的帶領下，將IBM從業務導向轉變成行銷導向的公司。

「IBM跟外界的那一堵柏林圍牆已經不見了！」臺灣IBM行銷推廣部經理王仰安雙手比劃著。葛斯納同時打破原本讓IBM人引以為傲的終身僱用傳統，改以業績表現評比；但業績目標的擬定是決定於工作者自己，並且會將計畫都放在資料庫中，作為業績review的根據。「IBM人『贏』的意志，就是由此而來。」臺灣IBM人力資源部副總說。

IBM的服務專案包含三種內容：

1. 幫客戶將軟、硬體整合。
2. 企業流程再造。
3. 替企業建構基礎資訊架構。

像這樣重新包裝定位後的「服務」取向，的確有助於凸顯IBM產品的差異化。

行銷基本功

服務最大的潛在力量不在於營收而已，更重要的是，可以提早參與客戶未來三到五年的計畫，這才是可長可久的生意。因此，專業的服務，絕對不能只是瞭解自家產品，唯有以公正的立場，處處替客戶著想，才能贏得客戶的尊敬與支持。行銷不應只是拿到訂單後，就不再理會客戶，應保有持續性的關心，這樣一來，客戶才有被尊重的感覺。無形中，也替自己的公司維護了最好的形象。

2.瞭解客戶的需求

日本某電腦軟體公司推銷員大村最近非常苦悶，儘管他在向客戶推銷商品時口若懸河，談論產品功能時也頭頭是道，然而客戶們就是一聲不吭，採取沉默的態度拒絕。

大村垂頭喪氣地走進一家餐廳，悶悶不樂地自斟自飲。突然，鄰桌上發生了一件事，吸引了他的目光。鄰桌的一位太太帶著兩個孩子吃午餐，那胖胖的男孩什麼都吃，長得結結實實的；但那瘦瘦的女孩緊鎖著眉頭，舉著筷子將盤子裡的菜翻來撥去，看來是個挑食的孩子。

那名婦人有些擔心，輕聲開導小女孩：「別挑食，要多吃些菠菜，不注意營養怎麼行呢？」連說了三遍，但是小女孩說不吃就不吃，這位太太一點辦法也沒有。

這時，一位年輕服務生走近那個女孩，湊著她的耳朵悄悄說了幾句話，那個女孩馬上就大口大口地吃起菠菜來，邊吃還邊斜視著哥哥。婦人很納悶，把服務生拉到一邊問：「妳是用了什麼辦法讓她聽話？」

服務生說：「馬不想喝水的時候，讓牠吃些鹽，牠口渴了自己就會去喝水。而我剛才跟妹妹說的話是：『哥哥不是老欺負妳嗎？吃了菠菜，妳就會變得比他更有力氣喔！』」

旁觀的大村暗暗稱絕：「太棒了，我終於知道自己錯在哪裡了！」

第二天，他走進一家紡織公司採購部主管辦公室時，不再滔滔不絕地自我吹噓，而是微笑著問：「先生，貴公司目前最關心的是什麼？貴公司有什麼煩惱的事嗎？」

採購部主管嘆了口氣說：「目前我們最頭痛的問題是，如何減少庫存、確實確認數量，提升生產效率。」

「這樣啊，您的庫存愈多，您所花費的人力、物力就愈多，一天多一點，一月多一點，一年、兩年之後可就是大數目了。」大村繼續說：「我可以馬上回到公司，專門為您設計一套軟體，看要如何減少存貨，增加生產效率。」

第八天，大村再度拜訪那位採購部主管，一邊出示那套方案資料，一邊熱情地介紹：「先生，這就是敝公司幾位核心軟體設計師專門為您設計的一套軟體。我想，只要用了這套軟體，您的苦惱就會消失了。」

那位採購部主管看了之後，立刻喜上眉梢：「這太好了！先將資料留下，我要向上級報告，我們肯定會購買這套電腦軟體的。」

後來，這家公司果然買下了大村的這套軟體。

行銷基本功

許多推銷員常犯的錯誤就是：滔滔不絕地向別人介紹產品，卻不知道客戶到底需要什麼。這個故事記錄了大村的前、後轉變，我們也應該避免犯同樣的錯誤，並掌握這種行銷技巧——先聆聽客戶的需求，再結合自己的產品，進行說服與推銷。

3.做個貼心的推銷員

喬．吉拉德被譽為「世界最偉大的推銷員」，他在從業生涯的十五年中，共賣出一萬三千輛汽車，並創下一年賣出一千四百二十五輛（平均每天約四輛）的紀錄，這個成績被列為「金氏世界紀錄」。

有人問他推銷汽車的秘訣，他講了一個故事：

有一天，外面下著大雨，一位中年婦女走進公司的展示大廳，說她想在這兒看看車打發一下時間。閒談中，她告訴我，她本來想買一輛白色的福特汽車，就像她表姊開的那輛一樣，但附近福特汽車的業務員要她過一小時後再去，她閒著無事可做，外面又下著大雨，所以就先來這兒看看。當天正好是她五十五歲生日，她想買一輛汽車給自己當作生日禮物。

「生日快樂！夫人。」我一邊說，一邊請她進來隨便看看，接著出去交代了一下，然後回來對她說：「夫人，您說您喜歡白色車，既然您現在剛好有空，那我先給您介紹一下我們的雙門轎車吧！它也是白色的。」婦人微笑著點點頭。

我們正談著，女秘書走了進來，遞給我一打玫瑰花。我把花送到那位女士面前說：「祝您長壽，尊貴的夫人。」

「我已經很久沒有收到別人的禮物了！」她顯然很感動，眼眶都紅了。

她說：「剛才那位福特汽車的業務員一定是看我開了部舊車，以為我買不起新車。我剛想要看車他卻說要去收一筆車款，叫我等會兒再去，於是我就上這兒來了。其實，我只是想要一輛白色的車而已，並不一定是要福特的，只不過表姊的車正好是福特罷了。現在想來，不買福特也是可以。」

最後，她在我這兒買了一輛雪佛蘭，並開立了一張全額支票。

其實從頭到尾，我的言語中都沒有勸她放棄福特而買雪佛蘭（CHEVROLET）的字眼。只因為她在這裡感受到了尊重，自己便放棄了原來的打算，轉而選擇了我們的產品。

行銷基本功

推銷，並不一定要具備高深的理論和技巧，推銷者若能適度地釋放出足夠的熱情和相當地尊重，讓客戶感受到自己被重視與尊重，試著拉近與客戶的距離，以贏得客戶的信任，那麼你的推銷工作也就成功了一半。吉拉德見客戶上門，並未立即展開說服的功力，反倒是先聆聽客戶的說法。光是這點，就為這次的行銷加了分，後又體貼以小禮物贈之，讓客戶滿心感動，甚至拋棄了原有的想法，轉而購買吉拉德的汽車。這樣的行銷技巧，實為推銷者所應學習的。

4.「先試用」的行銷方式

藤田是一位空氣清淨機的推銷員。一次，他去一家公司推銷空氣清淨機，對這家公司的總裁說：「貴公司裡有這麼多的電腦同時工作，來來往往的人又多，您覺得這樣的空氣品質會好嗎？」

「據研究顯示，在空氣品質不好的情況下工作，一會降低工作效率，二會影響身體健康。我今天帶來的這臺空氣清淨機，它是一臺嶄新的空氣清淨機，可以使您的辦公室成為一個天然的森林，每天為您製造新鮮乾淨的空氣。」

藤田說了許多擁有空氣清淨機的好處，可是最後的結果是，這位總裁根本就沒有要買的打算。

無奈，藤田只得把自己的樣品收起來，並把文件、工具放回公事包裡，準備起身離開總裁的辦公室。當他走到門口時，對總裁說：「不好意思，我想問最後一個問題，假如您能回答，我會非常感謝您，因為，您的回答對我很重要。」

「我今天有沒有做成這筆生意並不重要，因為我不可能得到每個人的生意，雖然我曾經希望您會買下它，那是因為我們的產品確實適合您的需要，然而您還是選擇不買它。我很難過，因為我沒有好好地解釋，讓它的優點顯現出來。假如您可以指正我的錯誤，指出我身為業務員不夠盡職之處，下次當我拜訪其他客戶時，將會對我有很大的幫助。」

聽藤田這麼一說，總裁立刻回道：「其實，這並不是你的錯，你的解釋很清楚、口才也很好，我不想買，是因為我不敢確定它是否有效。」

於是，藤田終於知道這位總裁拒絕購買的原因了。

「那很簡單，我可以先讓您免費試用兩天，如果您覺得效果不錯就留下來，如果無效，我再拿走。」藤田胸有成竹地說。

最後，這位總裁決定留下機器試用兩天。

第三天，當藤田來取空氣清淨機時，總裁要會計過來跟藤田結帳，因為他決定買下這臺空氣清淨機了。

行銷基本功

其實，藤田已經將總裁說動了，只是因為總裁不確定空氣清淨機的功效是否有如藤田說的那樣好，所以才沒買。實際上，這樣的情況很多。藤田表現得很聰明，在推銷完成之後，把自己的角色轉換成一個局外人，讓總裁來評論這次談判的失敗原因。這其實是一種心理策略。在推銷的時候，有時也需要如此。要瞭解客戶不想購買的真正原因，也要知道自己還有哪些需要改進的地方，這樣自己才能更進步，才能在每個推銷過程中有所成長。

5.注意每一個細節

愛琳和可欣同時在一家超級市場工作。剛開始時大家都一樣，從最基層開始做起；可是過了不久，愛琳就受到總經理的青睞，一再被提拔，從領班一路升到部門經理；可欣卻像是被遺忘了一般，還在最基層工作。

有一天，可欣終於忍無可忍，向總經理提出辭呈，並痛斥總經理狗眼看人低，辛勤工作的人不提拔，反而提拔那些愛吹牛拍馬的人。

總經理耐心地聽著，他瞭解可欣，工作肯吃苦，但似乎缺了點什麼……缺什麼呢？三言兩語也說不清楚，就算說清楚了，想必她也不會服氣……。

這時他忽然有了個主意。

「可欣，妳現在馬上到隔壁那家超市，看看別人今天賣些什麼水果？」總經理說。

可欣很快地從那家超市回來，說隔壁超市正在賣西瓜、荔枝、香瓜……。

「那西瓜一斤是多少錢？」總經理問。

「可欣說沒注意到，於是又跑去，回來說西瓜一斤賣十二元。」

「那產地是哪裡呢？」

可欣起身，想再次跑到隔壁超市去弄個清楚。

總經理望著氣喘吁吁的可欣說：「妳先休息一會兒，看看愛琳是怎麼做的。」說完叫來愛琳並對她說：「愛琳，妳馬上到隔壁的超市去，看看今天賣什麼水果？」

愛琳很快地就從隔壁超市回來，並回報說有賣荔枝、西瓜、鳳梨、香瓜、木瓜……荔枝一斤的價格是八十九元、西瓜一斤的價格是十二元、鳳梨一顆特價五十元……品質都不錯，她還順便帶回幾個那家超市新進的一種新產品讓總經理看。她想，這種價格的新產品總經理可能會有興趣，所以她不僅帶回幾個新產品當作樣品，而且還跟超市的人要到了進貨商的聯絡方式。

總經理看了一眼滿臉通紅的可欣說：「我想，妳現在應該知道愛琳成功的原因了吧！」可欣這時是羞愧地猛點頭。

行銷基本功

愛琳正因為做事注重細節、思考事情都想得很周全，才贏得總經理的信賴；而可欣做事馬馬虎虎，不求全面，只求快速，肯定不能勝任更高職位的任務。在銷售過程中，也是如此。行銷人員應注意每一個細節，力求全面，切勿馬馬虎虎，為求快而忽略了細部問題，要時時訓練自己觀察和分析的能力，這樣才能成為一個成功且具效率的行銷人員。

6.充分瞭解客戶需求，客戶滿意才是王道

一天，一位太太接到一通電話，是一個替人割草打工的男孩打來的。

「太太，請問您需要一個割草工嗎？」男孩問。

「不需要，謝謝。」太太答。

「我可以為您清除花叢中的所有雜草，這方面我很在行。」男孩說。

「但是，我的割草工已經為我做得很好了。」太太說。

男孩又說：「我還可以幫您把走道的四周整理得很好，太太。」

太太說：「這個，我的割草工也已經做了，而且做得讓我很滿意，因此，我不需要新的割草工。」

男孩輕輕地掛上電話。他的妹妹奇怪地問哥哥：「你不就是為這位太太割草打工的人嗎？為什麼你還要打這個電話呢？」

男孩微笑著說：「我只是想知道，我在那裡做得到底有多好？我的雇主對我的工作表現是否滿意？而現在我知道了。」

行銷基本功

只有以顧客為中心的行銷人員，才能獲得成功。這不但需要向客戶提供優質的服務，同時也要提升自己的素質，而並非僅僅改進產品；並且，還要透過各種途徑，千方百計地瞭解客戶的需求和自己所做的效果，唯有如此，才能掌握主控權，在激烈的競爭中立於不敗之地。

7.營造輕鬆愉快的購物氣氛

有一家商店，走進來一位客戶，店員見他走近櫃檯邊走邊看，似乎在尋找什麼，但又漫不經心，就判斷他想買東西卻又不怎麼迫切。

店員於是迎上前去，熱情地說：「先生，您想看點什麼？我可以幫您介紹。」

「我隨便看看。」

「好，如果您有什麼需要的話再跟我說，不過，不買也沒關係。」

之後，店員雖然跟在旁邊，但卻沒有多做介紹。他便說：「請把那套咖啡杯拿給我看看。」

店員拿過來兩套，同時介紹了商品的產地、特點，還說明其中有一套是目前很暢銷的杯組，而且店裡只剩下幾套了。客戶聽了，便買了一套。

臨走時，他說：「本來我並不打算馬上買，只想順便來看看有沒有設計感好一點的杯組，但妳的那句『不買也沒關係』，使我動了心。」

行銷基本功

客戶都是喜歡在一種自由輕鬆的環境裡，選擇和購買自己想要的東西。因此，要給客戶營造一種愉快的購物環境，才能讓客戶由衷地喜歡我們的商品、服務，甚至吸引更多的客戶。反之，當有客戶上門時，營業員馬上開始遊說，恨不得說得天花亂墜，這樣的做法，往往會給客戶造成極大的壓力。雖然很多客戶或許會在這種「盛情」之下，半推半就地隨便挑個小商品就匆匆離去，但以後可能就不會再來了。因為這種過於熱情，甚至是有點強迫性的銷售模式，是客戶比較反感的，大家應該引以為鑑。

8.顧客至上，微笑服務

一九一九年，希爾頓把自己好不容易賺來的三千美元，以及父親留給他的一萬兩千美元全部投資出去，創辦了「希爾頓飯店」。

憑著精明的眼光和良好的管理方法，很快地，希爾頓的資產就由一萬五千美元迅速擴增到五千萬美元，他欣喜地把這個好消息告訴了母親。

可是，母親卻沒有顯出太多的興奮，她很認真地對希爾頓說：「兒子，錢多、錢少，對我來說，你跟以前沒有什麼兩樣……現在你必須把握比五千萬美元更值錢的東西——對飯店經營來說，除了把客戶奉為上帝外，你還得設法讓住過『希爾頓飯店』的人都留下美好的印象，住過一次，還想再來。你得想出一種簡單、容易、不花錢，又能行之有效的辦法來吸引客戶。唯有如此，你的飯店才有前途，也才能永續經營。」

母親的話，讓希爾頓陷入了沉思。自己的飯店確實面臨著這樣的問題，好多客戶來了又走，永遠都是一些陌生面孔，回頭客並不多。那麼，如何才能既簡單、容易、不花錢，又能行之有效地吸引客戶呢？希爾頓想了又想，始終沒有想出一個好辦法。

有人告訴他說：「你可以多出去走走，取取經，瞭解別人是怎麼做的，或許會得到一些啟發。」於是，他每天都到商店和飯店裡參觀，以客戶的身分來感受一切。他終於得到了一個答案：「微笑服務。」只有這種服務，才能實實在在地吸引客戶。從此之後，希爾頓就在飯店裡導入「微笑服務」的經營策略。他要求每個員工不管多麼辛苦，都要和顏悅色，對客戶報以微笑，就連他自己都隨時保持微笑的姿態。

他每天至少要到一家「希爾頓飯店」與飯店的服務人員接觸，向各級人員（從總經理到服務員）問得最多的一句話必定是：「你今天對客人微笑了嗎？」各級人員也會以微笑給他滿意的答覆。

一九三〇年是美國經濟大蕭條最嚴重的一年，全美國的旅館約關了八成。希爾頓的飯店也一家接著一家地虧損不堪，一度負債達五十萬美元。對此，希爾頓並不灰心，他召集每一家飯店員工向他們特別交代和呼籲：「目前正值旅館虧空靠舉債度日時期，我相信，難關一定會過去，這一切只是暫時的。一旦美國經濟的恐慌時期過去，我們的希爾頓飯店很快就能進入雲開見日的好局面。因此，我請各位記住，希爾頓的禮儀，萬萬不能忘。無論飯店本身遭遇的困難如何，希爾頓飯店服務員臉上的微笑永遠是屬於客戶的。」事實上，當時的飯店業十家中就有二家倒閉，好多人慘澹經營，面帶愁苦，只有「希爾頓飯店」服務員的微笑是美好的。這一良好的精神風貌，給當時的許多人留下了深刻的印象，讓人們對未來始終充滿了希望。

經濟蕭條剛過，「希爾頓飯店」就領先進入了新的繁榮期，邁向經營的黃金時期。

在世界各地，無論你住進哪一家「希爾頓飯店」，不僅會看到一流的設備，周到的服務，最主要的是，所有的客人只要住進「希爾頓飯店」，就會有一種溫馨和煦的感覺。「希爾頓」的服務生能記住每個客人的名字，臉上永遠掛著發自內心的微笑，讓你如沐春風，客人內心所希求的目的幾乎沒有達不到的。賓至如歸的感覺，在這裡能夠最深切地感受到！

行銷基本功

客戶永遠是上帝，要站在客戶的角度去考慮問題，給客戶最滿意的服務！舒適、親切，賓至如歸，溫馨和煦如沐春風，這是每個客人都喜歡的感覺，所以，「微笑服務」是服務業最有賣點的商標，也是服務業最根本的制勝法寶！行銷者應時時注意自己的面部表情，給人最美好的第一印象。

9.重視消費者內心的心聲

有一間製造球鞋的公司，為了增加本身的市場，於是想要創造一種既舒適又輕便的休閒鞋。在全體員工的努力之下，這雙以舒適著稱的休閒鞋終於問世了。該公司為了深入瞭解消費者的心理，採取了一種獨特的試銷方法——先把一百雙鞋子無償地送給一百位客戶試穿八週。八週後，公司派人登門通知客戶要回收鞋子，若想留下鞋子者，每雙要付一千元。

其實，公司老闆並非真的想收回鞋子，而是想知道一千元一雙的休閒鞋是否有人願意購買。結果，絕大多數的試穿者都選擇把鞋子留下了，因為，這雙休閒鞋真的很合腳，又很舒適，價格也適中。

得到這個消息之後，這家公司便開始大量生產、推銷這款休閒鞋。結果，以每雙一千兩百九十元的價格出售，銷售成績相當亮眼，因此公司很順利地從球鞋市場擴張到休閒鞋市場。

行銷基本功

這是一種大手筆的操作模式。直接將產品送給消費者免費試用，再聽取他們的意見，調查客戶使用過後的感覺及想法，這樣，回饋過來的訊息將是最原始，也是最有價值的，而且會比純粹只做市場調查的效果要好得多。看似不划算的免費試用，其實能達到極佳的宣傳效果，進而使客戶回流。行銷者宜學習之。

10.顧客第一，高標準服務

提起「麥當勞」，在當今世界可以說是無人不知無人不曉。身為世界最大的速食集團，從一九五五年創辦人雷・克羅克在美國伊利諾斯普蘭開設第一家「麥當勞餐廳」至今，全世界已擁有兩萬八千多家餐廳，「麥當勞」的黃金雙拱門早已深入人心，成為人們最熟知的世界品牌之一。

「麥當勞」經營的黃金準則是──「顧客至上，顧客永遠第一。」提供服務的最高標準是──品質（Quality）、服務（Service）、清潔（Clean）和價值（Value），即「QSCV原則」。這是最能體現「麥當勞」特色的重要原則。

「品質（Quality）」是指，「麥當勞」為保障食品品質所制定的極其嚴格的標準。例如，牛肉食品要經過四十多項品質檢查；食品製作超過一定期限（漢堡的時限是十分鐘、薯條是七分鐘），即丟棄不賣。「品質」是為了保證高標準的食品品質。「麥當勞」對其產品的要求也是世界級的。「麥當勞」公司透過技術轉移，來確保食品和其他產品符合「麥當勞」嚴格的品質標準。

為了嚴格控管品質，「麥當勞」的有些規定甚至達到了苛刻的程度，如，麵包不圓、切口不平的都會被淘汰；每塊漢堡肉餅從加工一開始就要經過四十多道品質檢查關，只要有一項不符合規定標準，就不能賣給顧客；凡是餐廳的一切原物料，都有嚴格的保質期和保存期，如，生菜從冷藏庫送到配料臺，只有兩個小時保鮮期限，一超過這個時間就必須處理掉；為了方便管理，所有的原物料、配料都按照生產日期和保質日期，先後擺放使用。

「服務」（Service）是指，按照細心、關心和愛心的原則，提供熱情、周到、快捷的服務。「麥當勞」公司作為餐飲零售服務業的龍頭老大，對「服務」視如性命般重要。每個員工進入「麥當勞」公司之後，第一件事就是接受培訓，學習如何為客戶提供好的服務，使客戶達到百分之百的滿意。

「快捷、友善可靠的服務」是「麥當勞」的標誌，每一位員工都以達到「百分之百讓客戶滿意」為最基本的原則。

「清潔」（Clean）是指，「麥當勞」制定了必須嚴格遵守的清潔工作標準。從廚房到餐廳門前的人行道，處處顯現了「麥當勞」對清潔衛生的重視。「麥當勞」公司對清潔衛生有嚴格的規定，包括以下幾個方面：

1. 服務人員開始工作時，必須嚴格清洗與消毒雙手。先用洗手槽中的溫水將手淋濕，然後使用專門的「麥當勞殺菌洗手液」清洗雙手，尤其注意清洗手指縫和指甲縫。

2. 餐廳內外必須乾淨整齊，桌椅、櫥窗和設備要一塵不染。

3. 所有的餐具、機器，在每天下班後必須徹底拆開來清洗、消毒。

這樣，所有客戶在「麥當勞」就能享受到乾淨、舒適、愉快的用餐環境。

「價值」（Value）是後來增加的準則（原來只有Q、S、C）。加上「V」，是為了進一步傳達「麥當勞」的「向顧客提供更有價值的高品質服務」的理念。「物超所值」是「麥當勞」對客戶的承諾。合理的價格，營養豐富的食品，就是全世界近四千萬客戶天天光臨「麥當勞」的原因所在。

可以說，「QSCV原則」不僅體現了「麥當勞」的經營理念，而且因為這些原則有詳細嚴格的量化標準，使其成為所有「麥當勞」餐廳從業人員的行為規範。

在「品質、服務、清潔和物超所值」的經營宗旨下，客戶們不管是在紐約、香港、北京或臺北光顧「麥當勞」，都可以吃到同樣新鮮美味的食品，享受到同樣快捷、友善的服務，感受到同樣整齊清潔及物超所值的用餐環境。

行銷基本功

完善的管理，整潔的環境，美味的食品，讓人滿意的服務，在這樣的餐廳用餐，實在是一種享受。把客戶放在第一位，使客戶始終得到滿意的服務，這樣的速食業將永遠是顧客盈門，興旺發達！尤其從事餐飲相關方面的行銷，更應注重整潔、衛生的用餐環境。關於這方面，「麥當勞」企業的「QSCV原則」值得大家學習。

11.傾聽客戶心聲，滿足客戶需求

美國有一家公司，為了食物的保鮮和方便客戶購買，每條魚都用塑膠袋包裝好再銷售，他們這樣做，完全是為客戶著想。但是，有一位客戶卻向公司投訴，說公司賣的魚不新鮮，他寧願到魚市去買活蹦亂跳的鮮魚。公司解釋說，這些魚都是早晨從碼頭直接運到櫃檯上的，非常新鮮。那位客戶卻堅持認為：「你們的魚都有包裝，而且是超級市場的那種包裝，怎麼會新鮮？」無論商家怎樣解釋，這位客戶就是不相信。

此時公司才明白，給鮮魚裝上塑膠袋，使不少客戶產生了懷疑心理，讓他們以為不是鮮魚；於是他們當機立斷，增設了一個魚櫃，裡面放上水，把沒有包裝的魚放到裡面，方便客戶挑選和察看；同時另一個櫃檯仍然擺放著有包裝的魚。這樣，喜歡買活魚的客戶，就選擇剛從水裡取出來的魚；喜歡買包裝魚的客戶，就去櫃檯挑選自己想買的魚；採兩種銷售方式並行。

一個星期之後，公司發現，魚的總銷售量由每星期一萬五千磅，增加到每星期三萬磅。這家公司巧妙地滿足不同客戶的需求，進而使銷售量大大增加。

行銷基本功

不同的客戶，有不同的需求和心理感受。所以，在行銷當中，要注意傾聽客戶的心聲，適時地調整銷售方式，以滿足客戶的種種需求，並且採取不同的銷售手段和方法。而這樣促銷方式，往往能收到立竿見影的效果，是僅靠廣告、包裝等手段所望塵莫及的。

12.行銷需要靈活巧變

有兩個非常要好的朋友，共同的愛好就是釣魚，而且都是釣魚高手。但這兩位釣魚高手個性很不相同，一個孤僻，不愛理人，喜歡獨享垂釣之樂；另一個卻是個熱心、豪放、愛交朋友的人。

有一天，他們相約來到一個池塘釣魚，中午時分，兩人都大有斬獲。正當他們為自己的收穫感到高興時，有一群遊客來到這裡垂釣，但因為這群人的水準實在一般，所以，這些人怎麼釣都毫無所獲。

性格外向的這位釣魚高手，看到遊客釣不到魚，就說：「不如我來教你們釣魚吧！如果你們學會了我教的訣竅，而釣到很多魚，若有釣到十條，就分給我一條吧！」

遊客們聽了都十分樂意。

性格外向的這位釣魚高手，教完這一群人，又到另一群人中，同樣也教授垂釣技術，依然要求每位受教者每釣到十條，要送自己一條。

一天下來，這位熱心的釣魚高手把所有的時間都用來指導垂釣者，但獲得的竟是滿滿一大筐魚，還認識了好多新朋友。而另一位釣魚高手卻沒享受到這種「為他人服務」的樂趣，悶釣一整天，收穫當然沒有同伴多。

行銷基本功

如果你幫助了別人，也會從中得到相應的回報，因為助人為樂，一定能讓你得到不同的收穫。而行銷就應該是這樣一種既幫助了別人，又能幫助自己的快樂事業。行銷者將自己的產品銷售給客戶，客戶則從購買的商品中滿足自己的需求，行銷者也得到了相應的金錢回報，可說是一種雙贏的結果。

13.客戶口耳相傳的力量

從前，在一個小鎮上有兩個銷售農具的人，分別是甲和乙。這兩人雖然是競爭對手，卻互不干涉，各自做著自己的買賣。

不過，這兩個人的經營模式有所不同。乙將自己的產品銷售出去後，就不再追蹤；而甲卻常常主動上門去關心客戶，並提供服務。

有一次，甲到一個地方去推銷產品，剛好碰到一個農夫在修理農具。原來，農夫剛從乙那裡買來的農具，使用沒多久就經常毛病百出，甚為苦惱。

這時，甲毫不猶豫地主動提出代為修理的請求。儘管農夫買的並不是他的產品，但他仍然盡心盡力地為對方修理。

於是，農夫在感激之餘，大方地拿出一筆修理費用給他。但甲卻婉拒不受說：「這是我應該做的事！」

這件事情發生後，農夫總是逢人便誇甲的人格高尚、技術精湛，並陸續為甲介紹了不少的新客戶。

行銷基本功

「服務」本身就是強而有力的推銷，「服務的精神」可以說是成功業務員必備的條件。事實上，銷售的目的並不僅僅在於賣出商品，還包括客戶使用後獲得滿足的感受，因此，一定要充分確認當初開發商品，或客戶購買商品的意圖，仔細考察商品交到客戶手上時，是否已經將任務圓滿完成，否則，這項銷售活動便不能算是成功的交易。

14.別因小失大

美國著名汽車推銷員喬．吉拉德，連續十二年平均每天銷售六輛汽車，這個世界紀錄至今無人能破。喬．吉拉德的成功與他歸納並始終遵循的「二百五十定律」有很大關係。

他在當了推銷員之後不久，有一次去教堂哀悼一位朋友的母親。天

主教的教堂發送印有去世者姓名和相片的彌撒卡。他就問承辦人：「你怎麼知道要印多少張卡片呢？」承辦人說：「這全憑經驗。我們只需數數簽名簿上的簽名，時間久了就會發現，平均前來祭悼的人數是二百五十人。」

又有一天，他和太太去參加一個婚禮，碰到禮堂的執事就問他，一個婚禮平均有多少客人？他告訴喬・吉拉德，新娘方面大概有二百五十人，新郎方面大概也有二百五十人。

於是，喬・吉拉德歸納出一個定律——每個人都認識了二百五十位一定要請來參加婚禮或葬禮的人。

同樣，每位客戶身後都站著大約二百五十個人，這些人是他比較親近的同事、鄰居、親戚、朋友。如果您贏得了一位客戶的好感，就意味著贏得了二百五十個人的好感，反之亦然。如果，一個推銷員在年初的一個星期裡與五十人有見面的機會，其中只要有兩個人對他的態度感到不愉快，到了年底，就可能會有五千人不願意和這位推銷員打交道。

因此，喬・吉拉德在推銷時，總是恪守「顧客就是上帝」的鐵律。不論在什麼情況下，都把客戶放在第一位，盡力贏得每位客戶的好感。

行銷基本功

誰能贏得客戶的好感和信任，誰就能吸引住客戶，就能在激烈競爭中，立於不敗之地。而讓客戶相信自己、選擇自己的前提，就是要以「誠信」為本，不讓客戶吃虧上當；同時，必須認真對待身邊的每一個人，因為，每一個人的身後，都有一個相對穩定、數量不小的群體，失去一個人，就等於失去了一群人。

一、「售後服務」乃無聲的推銷員

為了贏得新客戶，留住既有客戶，以及增進客戶利潤貢獻度，而透過不斷地溝通以瞭解並影響客戶行為的方法，其實就是以「行動導向」的方式去瞭解及改變客戶的行為，使新客戶加入、舊客戶維持及客戶的獲利能獲得改善，根據客戶個別購買行為，提供專屬量身打造的服務，做到服務第一、顧客至上等永續經營的行銷方式。

推銷專家們認為，要推銷更多的產品只有兩條路可走，第一條，你的產品特別優異，有許多優越性並非其他同類產品可比；第二條，以完善的售後服務來爭取客戶的歡心。

美國聞名遐邇的汽車推銷大王喬．吉拉德說過：「我的成功，在於做了一件其他推銷員都沒做的事。要知道，真正的推銷，是在產品賣出之後，而不是在成交之前。」凡是向吉拉德購買過汽車的客戶們，絕不會忘記他，因為他每一季都會給客戶寄一張祝賀各種節日的精美明信片。單從表面上看，這是吉拉德安排的推銷策略，但他是真正的以客戶為重，正如他在哈佛大學演講時所說：「當客戶要求保修時，我竭力使他滿意；當客戶有了抱怨時，我到他家聽取意見；當汽車有了毛病時，我要像醫師一樣為他們感到痛苦、著急。」

現代推銷活動，需要樹立這樣一種經營思想：「賣貨，要像嫁女兒。」為人父母，把女兒辛勤培育成人，可是一旦長大，總要結婚嫁人。在女兒出嫁之後，父母也要隨時關心她婚後的生活，教育她勤勞持家，孝敬長輩。對企業和推銷人員來說，也要把自己經手的商品看成是費盡心血養育成人的女兒，經常瞭解：「客戶使用後，是否覺得滿意？」「有沒有發生故障和其他不便？」有時還得親自上門傾聽客戶的意見，迅速回饋給有關部門，作為改進產品的參考和依據。

只有重視和加強售後服務，才能進行更好的市場推廣，提高自己在客戶心目中的知名度，猶如增添了一位無聲的推銷員，為企業和產品招攬更多的「回頭客」。

二、服務第一，顧客至上

業務員承接訂單以後的目標就是——如期交貨。有時，因為停工待料等原因而無法如期交貨，此時，業務員的當務之急就是，立即打電話給客戶，誠實說明不能如期交貨的原因。

老麥在接到李課長的訂單後，遇到了缺料的問題。首先是，某西服公司已經把倉庫的灰色布料用完，倉儲部門雖然緊急訂購灰色布料，但老麥還是無法如期交出李課長的灰色西裝，須延後三週才能交貨。另外，也欠缺藍色布料，大概須六個月後才有藍色布料供應。老麥準備把無法如期交貨的壞消息通知李課長。

老麥：「李課長，很抱歉。你訂做的灰色西裝恐怕要延後三週才能交貨。因為公司的灰色布料消耗得很快，庫存的布料已用光了，公司正緊急訂購灰色的布料。」

李課長：「沒有關係，老麥，謝謝你打來電話。」

老麥：「還有，藍色布料也被用光了，你訂的藍色西裝恐怕也要延遲交貨了。李課長，真對不起！你訂做的兩款西裝，都因布料短缺而不能如期交貨。這種情況是之前從未發生過的。」

李課長：「沒有關係，沒有關係。你只要屆時把做好的藍色西裝和灰色西裝交給我就行了。」

老麥：「李課長，我還有一些壞消息和一些好消息，你想聽壞消息還是好消息？」

李課長：「什麼樣的壞消息？」

老麥：「壞消息是藍色布料的短缺恐怕長達六個月；而好消息是有一種替代品能替代目前正短缺的藍色布料。這種替代品無論在材料、顏色、品質方面都和短缺的藍色布料一樣，只是在布料的織法上有些微的不同。不過，這種不同是很難看出來的。以替代品做成的西裝是每套五百二十五美元。」

李課長：「那不是比原來的價格貴五十美元嗎？你還說是好消息？」

老麥：「我已經跟公司談過了，公司方面願意以原來的價格四百七十五美元賣給你。如果你同意，我這幾天就會把樣品布料帶給你看，由你做最後的決定。」

李課長：「那太好了，謝謝你，老麥。」

老麥把不能如期交貨的問題做了圓滿的解決。在解決問題當中，老麥表現了他誠實、細心的處事態度。在他和李課長之間有了一個「好的開始」後，他們的「好」關係也將持續下去。這是一次成功的交易。

不論銷售什麼產品，如果不能提供良好的售後服務，就會使努力得來的生意被競爭對手搶走。贏得訂單，固然是推銷工作的一個圓滿「結束」。但從長遠看，這只是一個階段性的結束，不是永久的、真正的結束，反而是拓展推銷事業的「開始」——開始提供長久的、良好的售後服務。

只有一次生意往來的客戶，不算真正的客戶。真正的客戶是，時常有生意往來的人。這種往來關係不是一次、兩次或幾次，而是恆久存在的。

根據經驗，售後服務的品質愈高、次數愈多，愈能獲得客戶一再的惠顧，客戶介紹朋友上門的意願也愈高。「服務」是為著銷售產品所提供的一切活動，以及與商品銷售有關的周邊活動，以提供客戶利益、滿意等等的行為。其實，只要記住幾個重點，相信客戶不會對你有多大的抱怨。

1. 和藹可親的招待客戶，給予適時指導選擇商品並予以分析。
2. 一視同仁，並適時給熟客一定的優惠折扣。
3. 商品交易時，應提醒客戶，在規定時間內可接受退換貨，並誠懇地聽取客戶抱怨。
4. 在嚴格的品質管制要求下，一定要合乎其所標示的規格。
5. 全力招待同時上門的客戶，而不能無視任何一位客戶的存在。
6. 不說別家店銷售手法之長短。
7. 具備專業知識及溝通技巧。
8. 每一位客戶的名字及特性，能見人便知曉。

三、熱情但不能過度

有一家大型超市的「銷售員」熱情過度，讓客人有些難以接受。

一天晚上，一位客人準備購買一袋紅棗。正挑選時，旁邊走來一位推銷員，她手裡拿著一種獨立包裝的某品牌蜜棗，用非常熟練的宣傳語言推薦：「這個特別適合你啦！」「綠色無汙染啦！」「糖分少，不發胖啦！」……

客人只好放下已經選好的紅棗，去看對方推薦的蜜棗。在這裡，很多商品，尤其是食品和洗滌衛生用品，其貨架前往往都有幾名熱情過度的售貨員，招呼著來往的客戶。一些客戶嫌煩，見到他們都會繞道走開。在沐浴乳的貨架前，一位「推銷員」迎了上來：「您用這款沐浴乳，清新止癢，您買這個正合適……。」恰巧旁邊有位戴眼鏡的老先生看不清產品說明，她又快步走過去介紹：「這個品牌的去油效果好，您買這個正合適。」雖然一位是女性年輕消費者，一位是男性老年消費者，但「推銷員」推薦的沐浴乳與前面推薦的是同一個品牌。

許多客人原本想以自己喜歡的方式，不受打擾、隨心所欲地選購一些商品，但被這樣的推銷破壞了興致。

正在購物的王女士說：「我最不喜歡在選購商品時，售貨員在我身邊嘮叨。現在的產品說明都寫得很清楚，我比較喜歡自己看、自己比較、自己選擇。」

「超市應該禁止這種推銷方式，無論你買不買他介紹的，心裡同樣難受。」劉先生有點無奈地說。

這種在超市購物被推銷員糾纏的經驗，很多消費者都曾有過，這種現象影響了超市的購物環境。為此，超市熱情過度的「推銷」方式應該叫「停」。超市應有超市的概念，還消費者一個好的購物心情。

四、巧用與衆不同的讚美

每個人都希望得到別人的肯定，聽到別人的讚美，尤其是女性，這種欲望更加地強烈。不過，在現今的社會體制下，女性想要獲得與男性同等的評價，似乎較為困難。因此，女性對於周遭環境，甚至很小的範圍之評價，都非常地在意，即使是一點點的讚美，都會喜不自禁的。

雖然如此，但是讚美必須得體且用對地方；如果用錯了地方，那不如不要讚美的好。

利用與眾不同的言語來打動女性的心，這是很重要的。以下舉出兩個例子供讀者參考：

1. **很像××明星**：「妳長得很美」這句話足以讓每個女性沾沾自喜。但是真正的美女，對這句話早已經聽膩了；相反地，若對不是美女也用此話來稱讚的話，她說不定還會以「不要開玩笑了」來反駁你。

所以，不論是美女或相貌平凡的女子，有一句話用來稱讚她們，不僅可互相通用，且效果顯著。

「我覺得妳長得很像××女星」就是這句讚美詞。不論她是臉型、聲音、氣質、髮型或者身材，只要是有點相似就行了。這樣不僅能得到對方的好感，也可以製造你們談話的機會。

如果你怎麼也想不出她到底像誰，那麼就說「妳給人家的感覺很好」、「妳很有個性」，或者「妳看起來很面善」這類的話，才比較不會得到反效果。

如果，你是從事化妝品或美容用品方面的銷售，就應該更加積極地讚美對方，而且必須從她的外表著手，如皮膚、頭髮、身材、身高等等。

2. **稱讚客戶的小孩**：對一個母親而言，聽到自己的小孩被稱讚，其喜悅之心更勝於自己被稱讚。

當孩子還小分辨不出性別時，就別問：「這是您千金嗎？」猜測孩子的年齡時，要好話多講一點，這是客套話中常用的方法。

不過，光是嘴巴說說的效果並不大。如果你能說「好可愛（健康）的小孩喔！」然後摸孩子的頭，如此一來，小孩的母親一定會非常高興的。

五、贏得客戶的心

每個業務員心中最大的目標就是使「客戶滿意」。因為，只有滿意的客戶，才有忠實的客戶。在現今以消費者導向的市場趨勢裡，擄獲客戶芳心的唯一妙方，便是從消費者的觀點去看、去想、去研究，同時真正跟客戶做朋友。「買賣不成，情義在」。只有完善的服務，才能使消費者願意再次光臨，即使不是馬上成交，也可望為日後預留機會。

愛麗莎在一家超市賣糖果，在所有店員中，她是最受客人歡迎的。許多客戶寧願多等一會兒，也要向她購買。同事很好奇，愛麗莎長得並不是最漂亮的，這到底是為什麼呢？

「妳是不是給得特別多？」有人好奇地問她。

「那是不可能的，我的秤，向來很準，不會多也不會少。」愛麗莎搖搖頭。

「那為什麼客戶都喜歡找妳買東西呢？」

愛麗莎笑著說：「別的服務員起初都拿得多，然後一點點地往袋子外拿，而我總是先拿少點，然後再一點點地往袋子裡加。客戶們可能以為我給的多，也許是這個原因他們才喜歡我的吧！」

這個平凡的店員就是後來擁有三十億美元資產的「好樂公司」副總裁。

客戶都希望自己購買的東西多一點。一點點地往裡加，總比一點點地往外拿，要來得讓人心裡舒服，感覺別人給的多。愛麗莎就是因為準確抓住了客戶這一微妙的心理，才招攬了源源不絕的客源。這樣一個懂得「攻心為上」的聰明女子，自然而然會有一番作為的。

你也會一樣感歎愛麗莎不動聲色就能抓緊客戶心理的能力吧！你也該對「贏客戶心，賺大筆錢」這句話有所理解了吧！要讓別人心甘情願地掏腰包，就必須先打動人心。因為，沒有人會毫無理由地把錢交給

你。只有讓別人打從心底認同你的產品、理念與服務，你的生意才有可能成功。

客戶往往是挑剔的。現在商家林立，客戶自然會貨比多家。只有那些品質和服務讓他們信得過，而且在感情上容易親近的商家，才能消除他們的戒心，樂於和你打交道。現在有很多大公司會在過年過節時，給客戶寄送賀卡，寫上祝福的話語，甚至連髮型設計師也都會這樣做，這也是一種心理戰術。

有些商家則是扯著嗓子在門口吆喝，這樣是否真的能吸引客戶呢？強拉、硬拽，是做不了什麼大生意大買賣的。在這一點上，和人們談戀愛有點像，只有你和對方心靈上有所契合，對方才會信任你、喜歡你，不由自主地走近你。相反的，花言巧語只會獲得暫時的利益，而且一旦對方對你產生不信任感，那有可能是永恆的。若是如此，你最直接的損失就是少了一個回頭客。

簡單地說，懂得贏得人心，就是掌握了賺錢的技巧。贏得了多少消費者的心，你就占領了多大的市場，就會賺取多少的利益。

你可以急大家之所需，為客戶「雪中送炭」。

在傳染病、禽流感橫行的時候，一個社區的藥局設法運回大量口罩、藥品和體溫計，方便需要的人購買，而且也沒有趁機抬高價錢。從此以後，這家藥局得到了人們的信任，利潤也隨之增加了不少。

與之相似的是，你也可以在客戶喜慶的時候，為他們「錦上添花」。如此充滿人情味的舉動，會讓別人心生感動，留下深刻的印象，很有可能就因此多了一位老主顧。如果你經營的是一家飯店，當你得知客人適逢過生日，為何不依照習俗免費贈送一個小蛋糕呢？這樣，客人感受到了你的溫情，以後還能不常來嗎？

以上只是賺取人心的兩種方法。當然，抓住別人的心沒有這麼簡單，還需要你在實踐中仔細摸索，要能舉一反三，活學活用。相信只要掌握了這一點，日後肯定能找到你的寶藏。

六、讓生意曲徑通幽

好的業務員不僅表現在服務態度上，自身的專業知識更不可馬虎。因為，讓客戶滿意的定義，不光只是笑臉迎人，能否解決客戶的問題，才是真正的重點。「耐心」和「笑臉」只是為客戶服務過程中的化妝師，好讓客戶在接受服務的過程中，不會受到壓力和嘲諷，並且得到滿意的解答，又可將服務人員視為專業又親切的顧問。

生意場上，客戶和商家、商家和商家之間難免會因各自的利益而發生爭執、糾紛、誤會，甚至更嚴重的結果。年輕氣盛的人難免衝動，喜歡爭得口頭的勝利。若是自己理虧，吃了虧，就一定會爭強好勝，極力在口頭上和表面上將損失彌補回來，求得心理平衡；若是自己有理，那就更不得了，一定要據理力爭，得理不饒人，得利還要辯三分，不把別人整得心服口服是不會罷休的。

如此直接而激烈的辯論，雖然不必花費心思，字斟句酌，並且省事省時，也未嘗不可作為一種方法，但是，筆者認為，這就是年輕人不會做「乖人」之處了。你還不太懂得說話的技巧，尤其不懂得一個商人處理生意糾紛的技巧。做生意不能傷了和氣，和你利益無關的，不用太在意，甚至可以放棄自己的立場，不要爭一時之長短。通俗一點說，不要和別人爭論是白貓，還是黑貓，只要別人認同這隻貓可以捉到老鼠，生意就成交了。

讓生意曲徑通幽，需要善用「迂迴之術」。這時，你得注意用詞，不指桑罵槐，不話中含刺。心存偏見，先入為主，最是要不得；開門見山，單刀直入，是一大忌。最好的辦法是，三思而後言，心態平和；別人激動，你不妨溫和；對方劈哩啪啦，你最好沉默無聲；別人一言九「頂」，你不妨以一「擋」十。一個無傷大雅的小錯誤，既然你先承認了自己有錯，對方的難堪也就隨之解除，火藥味自然淡化了。

生意追求「和」與「諧」，「曲徑通幽」是一個很高的境界，需要你好好修練。

七、讓客戶從你的服務中獲得快樂

當你決定購買一項東西時，是不是清楚你購買的理由？有些東西，也許事先也沒想到要購買，但是一旦決定購買時，總是有一些支持你買的理由。

再仔細推敲一下，這些購買的理由正是我們最關心的利益點。例如，湯姆最近換了一臺體形很小的小型車，省油、價格便宜、方便停車都是車子的優點。但真正的理由是，湯姆路邊停車的技術太差，常常都因停車技術不好，而發生尷尬的事情。這種小型車，車身較短，能完全解決湯姆停車技術差的困擾，而湯姆就是因為這個原因才決定購買的。因此，我們可從探討客戶購買產品的理由，找出客戶購買的動機，發現客戶最關心的利益點。充分瞭解一個人決定購買產品的理由，能幫助你提早找出客戶關心的利益點。

一般人購買商品的理由可從三方面來瞭解：

1. **品牌滿足**：整體形象的訴求，最能滿足地位顯赫人士的特殊需求。比如，「賓士汽車」滿足了象徵客戶地位的利益。針對這些人，在銷售時，不妨從此處著手試探潛在客戶最關心的利益點是否在此。

2. **服務**：因「服務好」這個理由，而吸引客戶絡繹不絕進出的商店、餐館、酒吧等比比皆是。「售後服務」更具有滿足客戶安全及安心的需求。因此，「服務」也是找出客戶關心的利益點之一。

3. **價格**：若是客戶對價格非常重視，就可向他推薦符合其價位的商品；否則，只有找出更多的特殊利益，以提升產品的價值，使他認為值得購買。

以上三個方面能幫助你及早探測出客戶關心的利益點。只有客戶接受銷售的利益點，你與客戶的溝通才會順暢。

良好的客戶服務措施或體系，必須是發自內心的、誠心誠意的與心甘情願的。業務員在提供服務時，必須付出真感情。沒有真感情的服務，就沒有客戶被服務時的感動，沒有感動，多好的客戶服務行為與體系也只是一種形式，不能帶給消費者或客戶美好的感覺。

「以獲利為唯一目標」是不少業務員恪守的一條定律。在這一思想指導下，許多業務員為獲利不自覺地損害客戶利益，致使客戶對供應商或品牌的忠誠普遍偏低。這種以自身利益為唯一目標的做法，極有可能導致老客戶不斷流失，自然企業的利益也會因此受損。

日本企業家認為，「讓客戶滿意」其實是企業管理的首要目標。日本日用品與化妝品業龍頭「花王公司」的年度報告曾經這麼寫著：「客戶的信賴，是『花王』最珍貴的資產。我們相信『花王』之所以獨特，就在於我們的首要目標既非利潤，也非競爭定位，而是要透過實用、創新、符合市場需求的產品，來增加客戶滿意度。對客戶的承諾，將持續主導我們的一切企業決策。」

「豐田公司」也正在著手改造它的企業文化，使企業的各組織部門和員工，能夠將視線關注於如何在接到訂單一週內向客戶交車，以便縮短客戶等待交貨時間，讓客戶更為滿意。日本企業的做法，使日本品牌的產品遠遠高於世界其他地區。以汽車品牌為例，歐洲車在歐洲的品牌忠誠度平均不到百分之五十，而豐田車在日本的忠誠度高達百分之六十五。由此可見，重視客戶利益，「讓客戶滿意」是提高客戶對企業忠誠度的有效方法。企業由於客戶的忠誠度，不僅可以低成本地從老客戶身上獲得利益，而且可以因客戶推介而提升新增客戶銷售額。

對許多公司而言，漸進式的改革已不足以適應市場需求，而需要的是對企業的經營理念進行革命式再造，構思一個「從客戶利益出發」的企業文化體系。目前，國內一些創新能力較強的企業，已經迅速定義了自己全新的經營理念，像「TCL電器」的「為客戶創造價值」、「金蝶軟體」的「幫助客戶成功」，這些經營理念，成為企業全新文化體系的顯著標誌。

八、想客戶所想，急客戶所急

「為客戶提供如何增加價值和省錢的建議，自然就會受到客戶的歡迎。」

很多人都有網路購物的經驗，有的購物網站程式很煩瑣，先是要求註冊，光填寫用戶名就反反覆覆多次，接下來又是填寫一大堆個人資料，好不容易敲完了，卻斷線。也許網站的初衷是好的，是想獲得客戶更多的資訊，瞭解客戶，為客戶提供更好的服務，然而其設計的業務流程，並未從客戶的角度去思考，反而給客戶添了許多麻煩。

「想客戶所想」，就是真正站在客戶的立場思考。省錢、效益是客戶所想的，先不要考慮你的公司能得到多少利潤，而要考慮如何為客戶省錢或賺錢。先為客戶省錢，才有機會賺錢，這並不矛盾。「想客戶所想」不單是省錢，而是為了要產生效益。

某食品公司由於經營困難，老闆決定開發新產品，某廣告公司為其提供了全套的形象企劃和行銷廣告企劃，最後是產品包裝的創意設計。設計、製版、打樣，最終要交付印刷的關鍵時刻，老闆看到一種國外的新包裝，想要更改方案，並要求在三天內看到一套全新的方案，時間非常緊迫。結果所有設計人員日夜加班。三天後，客戶從外地回來，全新的方案已經擺在他的面前，老闆被廣告公司服務客戶的真誠所感動，最終採納了廣告公司的新方案，而公司的產品也因廣告公司全新的廣告行銷企劃而大獲成功。

二〇〇二年，海爾「防電牆」熱水器上市，從而拉開了熱水器市場新一波熱戰。「防電牆」到底有什麼過人之處？

根據海爾的介紹——在中國，有的電熱水器根本就沒有地線，因此時常會有漏電的意外情況發生。採用了海爾「防電牆」技術，即使在熱水器內部通入220V電壓，也能使出水管處的電壓處於安全電壓（12V）的範圍內，保證出水不帶電。

事實上，「防電牆」無非就是解決了一個安全問題而已，而這剛好是電熱水器產品的最基本底限。

然而，為什麼海爾訴求「防電」概念卻成功了呢？

因為海爾真正站在消費者角度來考慮問題了。消費者不關心熱水器的標準是什麼，他們只關心自己生命安全有沒有保障。海爾瞭解普通消費者的心理，然後充分利用這一心理，對銷售產生了巨大的作用。

只要把握住客戶的真正需求，企業的成功和市場成長就會順理成章。以「惠普」為例，他們充分利用已經遍布全球的專設機構及網路資源，將自身的專家資源透過合作夥伴進一步延伸，為商用客戶提供專家指導意見，幫助客戶正確選擇適當的產品和技術，以促進業務的成功。「惠普」還整合了各條產品線的優勢，為商用客戶提供整合好的適用產品，包括印表機、個人電腦和基礎架構等。

這些可靠的、精心設計的產品和技術解決方案可以輕鬆整合，並能更好地一同運行和工作。「惠普」不僅提供完善的管道服務網路、高級技術支援，還提供高可靠性、簡便的綜合支援和理財選擇，使商用客戶從經濟上、技術上均能獲得支援，使業務更平穩地增長。

「惠普」也正是由於把握了客戶的根本需求，幫助其實現自身業務成長的目標，才獲得了全球及亞太地區商用客戶的廣泛支持，從而長期保持市場銷售額第一的領先位置。

九、抱怨的妥善處理

推銷員為了在感情上接近抱怨的客戶，穩定對方的情緒，應該採取相關的應對措施，分散客戶的注意力，儘量避免買、賣雙方可能出現的衝突。所有這些辦法和措施，在推銷界稱為屢試不爽的「緩兵之計」。

1. **請坐**：當人感情衝動時，大腦神經處於極度興奮狀態，心跳加快。有人雙手顫抖，呼吸急促，有人甚至捶胸跺腳，又蹦又跳，為的是解心中悶氣。為了使衝動的客戶儘快平靜下來，推銷員應熱忱招呼他們坐下來訴說抱怨，自己則在一旁傾聽、記錄，鄭重其事地把對方的意見記下來。做好「抱怨紀錄」，既有助於推銷雙方建立一個友好的交流洽談氣氛，又可以使客戶認為其意見受到了某種重視，沒有必要再吵鬧下去。一份完整詳盡的「抱怨紀錄」，將使推銷一方更容易接近客戶，瞭解客戶的真實資訊，溝通買、賣雙方的意見，並為自己下一步更妥善地處理抱怨提供參考依據。

2. **敬惠**：友善地握手，給人「以誠相見」的印象，這是推銷員面見客戶的應有禮節。正確的握手姿勢與力度，可以控制客戶抱怨的情緒，發揮鎮靜的作用，解除對方可能比手劃腳的「企圖」，使得雙方動口不動手。客戶如果一時拒絕握手，推銷員可以藉故反覆多次試握，主人盛情難卻，現場氣氛很快會融洽起來。在條件許可的場合，推銷一方可以對抱怨的客人略施恩惠，以示安慰，比如，遞上香菸、泡一杯熱茶、遞幾顆糖果等等。在日常生活中，我們可以看到這樣的情景，一批旅客預訂了旅館而無法馬上進房休息，因為前面的客人才剛剛退房，服務員正在整理清掃，於是拎著大包小包從外地趕來的旅客在走廊上大發牢騷，怨言不斷。經驗豐富的經理見狀，立即請客人到自己的辦公室暫時休息，並給每位客人泡上一杯熱騰騰的歐腳茶，「受敬使人氣平，受禮使人氣消」，在場的客人連聲道謝，再多等一會兒也不會火冒三丈了。

3. **移情**：凡打算上門抱怨的客戶，大多喜歡爭取旁觀者的支持。在公眾場合抱怨發牢騷的客戶也是如此，現場人愈多，他們的指責愈苛刻離譜。所以，一旦碰到年輕氣盛的客人上門訴怨，推銷員應迅速將當事人帶離現場，或到辦公室，或到人群稀少的清靜處商談問題，切莫在公眾面前與之爭辯，因為在大庭廣眾面前，推銷員縱使有十種百種理由來解釋說明，但是客戶認為自己「得道多助」。應急的一個辦法是，當面向客戶表示諒解，這是與客戶聯絡感情的有效方式。如果不能表示完全地同情，推銷員至少也應該在某一點上持諒解的態度，設想可以這樣對客戶解釋：「多虧了您的指點……」、「您有理由不高興……」、「對於這個問題，我也有同感……」、「感謝您對這個問題的提醒……」這樣的對話，往往使抱怨的客戶息怒消氣。

4. **拖延**：對某些客戶提出的抱怨，一時很難找到其中的真正理由，有些抱怨純屬虛構，根本無法給予圓滿解決。碰到此類情況，老練的推銷員大多採取「拖延」的辦法。先把眼前的糾紛擱置一旁，暫緩處理，比如，答覆對方：「我馬上回工廠調查一下情況，明天給你個滿意的回覆。」「等廠長回來，我們研究研究，保證解決您的問題。」特別是遇到衝動而性急的客戶，不要急於馬上著手處理抱怨，以免草率行事。推銷員可以先停頓一下，與客戶談點別的話題，如，天氣、社會新聞、對方情況，目的是使客戶平心靜氣提意見，有理智地談問題，這種方法也能有效地對待和處理客戶的抱怨。

國家圖書館出版品預行編目資料

說故事的行銷力量／歐陽風 編著 . — 初版.--
臺北縣中和市：創見文化,2006[民95]
面；公分 · —（成功良品；01）
ISBN 978-986-82357-5-5（平裝）

1.銷售 2.說故事

496.5 95015056

成功良品 01

說故事的行銷力量

出版者／華文網股份有限公司・創見文化
編著／歐陽風
印行者／創見文化
品質總監／王擎天
出版總監／王寶玲
C.E.O.／陳金龍
總編輯／歐綾纖
文字編輯／蔡靜怡、劉振風
美術設計／蔡億盈

郵撥帳號／19459863華文網股份有限公司（郵撥購買，請另付一成郵資）
台灣出版中心／台北縣中和市中正路738號10樓
電話／（02）8226-9888
傳真／（02）8226-9887
ISBN-10／986-82357-5-8
ISBN-13／978-986-82357-5-5
出版日期／2006年10月

全球華文國際市場總代理／彩舍國際通路
進貨地址／台北縣中和市建一路89號5樓
退貨地址／台北縣中和市建一路89號6樓
電話／（02）2226-7768
傳真／（02）8226-7496

全系列書系特約展示門市

橋大書局
地址／台北市南陽街7號
電話／（02）2331-0234
傳真／（02）2331-1073

新絲路網路書店
地址／台北縣中和市中安街國立台灣圖書館B1
電話／（02）2929-0559
網址／www.silkbook.com

線上pbook&ebook總代理／華文網股份有限公司
主題討論區／www.silkbook.com/bookclub ● 新絲路讀書會
紙本書平台／www.book4u.com.tw ● 華文網網路書店
瀏覽電子書／www.book4u.com.tw ● 華文電子書中心
電子書下載／www.book4u.com.tw ● 電子書中心(Acrobat Reader)